Ⓢ新潮新書

古市憲寿
FURUICHI Noritoshi

正義の味方が苦手です

980

新潮社

はじめに

本当は怖い正義の味方

一昔前の物語に登場するヒーローは、いとも簡単に暴力を振るう。事件を解決するためなら、パンチやキックはもちろん、武器の使用を厭《いと》わない。

現代日本の刑法を適用するなら、多くのヒーローは暴行や傷害などの罪に問われる可能性がある。いくら強大な敵を倒すためとはいえ、自衛隊や警察と違って、他者への攻撃が法的に認められてはいないからだ。

多くの正義の味方は「犯罪者」ということになる。ではなぜ物語の中で、正義の味方は喝采《かっさい》を浴びるのか。それは、「犯罪者」に頼らなくてはいけないほど、その世界が荒廃しているからだろう。

『アンパンマン』の世界で、きちんと法律が機能している様子はない。だから犯罪に当たる行為が起きたら、逮捕、取り調べ、裁判などの手順をすっ飛ばして、アンパンチなどの暴力手段で事件を解決したことにする。

『名探偵コナン』の世界には、警察もあるし、きちんと法律も運用されていそうだ。だが舞台となる米花町《べいかちょう》は、極めて殺人発生件数の高い修羅《しゅら》の街である。それゆえコナン君たち民間人が、銃刀法違反や道路交通法違反に当たる行為をしても、違和感がないのだろう。探偵に依存する警察というのは冷静に考えるとかなりまずい。

ヒーローの活躍する社会というのは、日本の中世に近いのかも知れない。当時の中央政府は力が弱く、人々は自力救済に頼るしかなかった。殺人が起こっても、当事者の訴えがなければ、刑事事件として処理されない時代だった。

幸いなことに、我々が生きる現代日本は、私刑と暴力に頼らずに済む社会だ。完璧ではないものの、法律は機能していて、事件に巻き込まれた場合、警察や弁護士に相談するところから始めればいい。もしも法律に不備があると考えるなら、政治家に訴えたり、メディアを巻き込んで社会運動を起こすなど、いくつかの平和的手段がある。

注意したいのは、現実世界において「正義」と「悪」は、それほど簡単には区別がつかないことだ。悪政を敷く独裁者でさえ、急にいなくなれば混乱が起こる。世界を救うかに見えた薬に、後から思わぬ副作用が発覚したこともある。

「正義」の暴走は、時として甚大な被害をもたらす。たとえば20世紀半ばに起こったアジア太平洋戦争では、「聖戦」や「大義」という名のもとで、日本だけで300万を越える人命が失われた。同じ過ちを繰り返さないためには、同時代にどれほど素晴らしく見える正しさも、絶対視するべきではない。

特に、熱く正義を語る人の横顔に、好戦的な表情が覗いた時には注意したい。多くの「正義の味方」が、敵を倒すために暴力の行使を辞さないように、正義と狂気は容易く結びつくものだ。

犯罪者を崇める心理

さすがに現代の「正義の味方」は、暴力を振るうことは少ないものの、時に軽々しく他人の口を塞《ふさ》いだり、社会から追放しようとしたりする。

近年ではキャンセルカルチャーといって、著名人の言動を告発して、社会の表舞台から消し去ろうとする社会運動が盛んだ。また街角のポスターや、企業や自治体のCMなども「ハラスメント」だといった理由で糾弾の対象となる。

もちろん、議論は大いにされるべきだ。だがその目標が、誰かの排除となった場合は恐ろしいことになる。まるで物語の中のように、「犯罪者」が「正義の味方」として崇められる事態まで起こる。

映画監督の森達也さんは死刑反対論者として有名だ。アムネスティに寄せたメッセージでは、「悪い奴は消してしまえという因果応報の感覚」に警鐘を鳴らしていた。

だが安倍晋三元首相の銃撃事件をテーマにした映画の公開イベントで、以下のようなやり取りがあった。

司会者から「『僕は死刑は反対だけど安倍だけは死刑になってもいいと思っていた』と言っていた森達也さん」と紹介された際に、何ら否定しなかったのだ。本来の森さんの発想からすれば、どれほど安倍元首相が「悪い奴」に見えていたとしても、「死刑」によって社会から消してしまうのは大反対のはずだ。

しかも、法的な手続きを経た刑罰ではなく、私人による銃撃で誰かが殺されるなど、もってのほかではなかったのか。

森さんの映画には、単純に善悪を判断せずに、丁寧に対象を追った作品が多い。そんな森さんでさえ、自分の意に沿わない人間は消えても構わないと思う瞬間があるようだ。

ちなみに同イベントで、漫画家の石坂啓さんは、銃撃事件の第一報をテレビで観た際に、「うちでは『でかした』と言ったんですね。私と夫は『山上様』と言ってます」と発言している。

一方で、社会制度の枠組み内で「正義」が暴走することもある。

人質司法といって、日本では逮捕・勾留された被疑者が、警察や検察のシナリオ通りの自白をするまで、釈放されない場合がある。郵便不正事件で無実の罪を着せられた厚生労働省局長（当時）の村木厚子さんは、大阪拘置所に164日もの間、拘束された。村木さんは裁判で無罪を勝ち取ったが、早期に釈放されるために身に覚えのない罪を認めてしまう人もいるだろう。この人質司法は冤罪《えんざい》の温床になるとして、国際的にも批判の対象になっている。だが警察や検察は、「正義」を実現するために、必要な制度だと信じているのだろう。

だが実は「正義の味方」ほど、歪んで世界を理解している可能性がある。

賢い人ほど騙されやすい

あなたの周りに、自分が気に入らない意見には耳を貸さず、都合のいいことばかりを受け入れる人はいないだろうか。自分がすでに持っている信念や先入観を裏付けるデータばかりを求め、世界を歪んで理解してしまうことを「確証バイアス」という。

現代社会には、広い意味での確証バイアスが溢れている。陰謀論と言い換えてもいい。曰く「新型コロナウィルスは増えすぎた人類を半減させるための化学兵器だ」「統一教会が日本政府を裏から支配している」「世界は影の政府（ディープステート）に操られている」といった具合だ。陰謀論を吹聴《ふいちょう》する人には、大真面目な「正義の味方」が多い。

陰謀論は星座に似ている。実際は、偶然その位置に見えるだけの光に、任意の線をつなげてみることで、何か意味を持たせてしまうのだ。本当は線のつなげ方には無数のパターンがあるはずなのに、一度「オリオン」や「ふたご」だと認識すると、そうとしか見えなくなる。星座同様に、人が思い込みから逃れることは難しい。

興味深いことに、「賢い人」ほど、世界を歪めて理解してしまうという研究がある。アメリカで1111人の被験者に対して、数的思考力を計測するテストをした。その上で、スキンクリームの効能を読み取るテストを実施した。当然ながら、数的思考力の高い人の方が、スキンクリームのテストを難なくこなした。

だが、銃規制と犯罪の関係を分析するテストを実施した時、異変が起こった。数的思考力の高い人の方が、銃規制に関する問題に正しく答えられなかったのである。

つまり認知能力に優れている人は、情報を都合よく組み合わせて、解釈する能力にも長《た》けているというわけだ（ターリ・シャーロット『事実はなぜ人の意見を変えられないのか』）。確かに、子どもでも騙されないフェイクニュースに踊らされている大学教授はツイッター上の名物になっている。

日本の陰謀論に関する研究でも興味深いことが示唆されている。政治的な関心が高く、なまじっか知識のある人の方が陰謀論を信じやすいというのだ（秦正樹『陰謀論』）。確かに「ネット右翼」や「ネット左翼」は、一般の人よりもはるかに政治に関心がある。恐らくその関心の高さゆえに、社会を歪んで理解してしまうのだろう。

信念や関心が認知を歪ませてしまうなら、果たして僕たちはどうやって世界と向き合えばいいのだろうか。

一般的にいって、本を読む人というのは、推論能力や分析能力が高くて、社会的な出来事に対しての関心も高い。それを今から「馬鹿になれ。社会に興味も持つな」というのも変な話である。残念ながら、この本を読むことでも、新しい知識はついてしまうし、読了後は、ちょっとは賢くなった気にもなるだろう。

正しすぎる社会は怖い

『百の夜は跳ねて』という小説で、登場人物にこんな台詞を語らせたことがある。

「取り下げる準備がいつでもできる限りにおいて、偏見は悪いことじゃないの。予断を持たずに物事を見るなんて無理。むしろ色眼鏡があるからこそ、人と人は付き合うことができる」

誰しも「立場」から逃れるのは難しい。偏見なしに世界を理解するのは無理だと思っていい。だからこそ大切なのは、いつでも偏見や予断を取り下げる準備をしておくことではないだろうか。

本書もまた「歪んだ」本である。そして、この本を読んでくれているあなたも、きっとどこかで「歪んでいる」。

だが、それでいい。重要なのは、互いが歪んでいることを理解しながら、歩み寄れるギリギリの場所を探すことだ。むしろ歪みを許さない正しすぎる社会というのは怖い。正義とは、歪みや迷いと対話を繰り返し、少しでもいい社会を構想する中で、おぼろげに浮かび上がってくるものくらいに思っておいた方がいいだろう。

全ての困難が対話や熟議で解決できるとは思わないが、自分から見て「嫌な奴」や「間違っている奴」を消し去るのではなく、また自分好みに教育や管理しようとするのでもなく、ゆるやかに共存できる社会を目指すのは、それほど高望みではないだろう。

この本は『週刊新潮』の連載「誰の味方でもありません」をまとめたものだ。執筆期間にあたるこの2年間、本当に色々なことがあった。

海の向こうでは戦争が始まり、この国では元首相が暗殺された。世界で猛威をふるったウィルスは、人間の本性を明らかにした。その時に僕の抱いた「歪んだ」思想をまとめたのが本書である。

よく「自分の考えを持て」と言われる。だが一つの思想に固執するのは危険だ。そうした態度は、確証バイアスや陰謀論の温床である。それよりも、揺らぐ力を持っていた方が、この時代を柔軟に泳いでいけるのではないかと思う。本書を読みながら、共感はもちろん、反論が浮かんだり、違和感を抱いてくれたら嬉しい。

正義の味方が苦手です●目次

はじめに　3

第一章　緊急事態下の脱力法　17

ヒトは神頼みをやめられない／ファクトは感情に勝てない／日本に呪文使いがいないことを喜ぶ／人間の時代はしばらく終わらない／流行るとはバカにされること／自分が「古く」なることを想像してみる／若者は常に嫉妬される／会ってつまらない人はヒットを生み出せない／「国民」という言葉は要注意／緊急事態には賞味期限がある／問題は「誰と共に生きるか」だ／小倉さんの未来に思いを馳せる／伝統を守る人が文化を破壊する／「地球を守ろう」は嘘まみれ／呑気なのは悪いことだろうか／「10年後」から振り返ってみる視点を持つ

第二章　そんなに頭に血をのぼらせてどうするの　67

日本は「快適な自由」の設計に失敗してきた／制約はときに創造の母となる／高いところに登りたがるのは誰か／行き過ぎた正義感はパロディの敵である／

まずは冷静になって／プロは「バカ」でいい／真の「ミニマリスト」はどこにいる／ユートピア願望は危険性を孕んでいる／一人旅は寂しくない／暴走する正義感が行きつく先は／AIは人間を献身的に働かせる／失言よりも糾弾すべきことがあるはず／「未来人の人権」は守らなくていいのか

第三章　余所者には余所者の幸せがある　107

中吊り広告は不滅です／嫌な経験こそ記憶にとどめる／「あだ名」は意外と恐ろしい／「専門家」の「政治家」化に注意しよう／書店には生き延びて欲しい／有識者はなぜ頼りにならなかったのか／隈研吾さんは格好よかった／キャンセルカルチャーは危ない／文化は模倣によって発展し、洗練される／松本市長の「覚悟」を讃える／不幸の意味を探し過ぎていないか／大切なのは自分にとっての幸せを理解すること／冬が危ないのは今に始まったことではない／「隠れた人事権」を持つのは誰か／その「フェイク」には価値がある／不安が社会の統制を強化する／余所者だと思って生きていく

第四章　戦争が起き、元総理が殺された　159
「正義」はいつも都合よく利用される／「素人」は沈黙せざるを得ないのか／優れた物語は国家よりも寿命が長い／こんな簡単に成仏ができるなんて！／SNS時代の戦争は「ゲーム」に見えない／これからも「平和ボケ」を享受できるか／宇宙人襲来で人類は団結できるか／人は立場から自由にはなれない／個人で大きな仕事はできない／「リアル」はどこにあるのか／ソフトパワーは侮れない／「みんなで良いことをする」に怪しさを感じてしまう／小手先の「やった感」が好きな人が多い／苦手な人とはとにかく距離を置く／世界は77年で一回りする／「倍速視聴」は映画への冒瀆か／若者はいつだって補導されている／注意散漫でも構わない／安倍さんにはもっとこの世界にいて欲しかった

おわりに　217

第一章　緊急事態下の脱力法

ヒトは神頼みをやめられない

イタリアのポンペイ遺跡では観光客が記念に出土品を持ち帰ってしまうことがある。しかし、その返還が相次いでいるのだという。理由は呪いだ。

CNNによると、あるカナダ人女性は若い頃に、ポンペイ遺跡からタイルや壺の断片などを盗んだという。帰国後に2度も乳がんを患い、家族も金銭トラブルに見舞われた。これをポンペイの呪いだと考えた女性は、謝罪の手紙と共に出土品を返還することにした。

ピラミッドを発掘した考古学者が相次いで死亡したという都市伝説もあるが、定期的に古代遺跡の呪いは世の中を騒がせる。その正体には、あるバイアスが関係しているかも知れない。

2020年末、東京大学などの研究チームが「Go To トラベル利用者の方が、新型コロナウイルス感染症を示唆する症状をより多く経験している」という論文を発表して話題になった。一部のマスコミは「Go To がコロナ再流行の原因だった」と短絡的に報道したが、論文にはきちんと研究の限界も明示されている。

その一つに思い出しバイアスがあった。新型コロナの症状を持つ人の方が、その原因としてGo Toトラベルの利用を思い出しやすいかも知れないというのだ。一般的に、健康な人よりも病気に感染した人の方が、わかりやすい原因を必死に探そうとする傾向がある。

しかし実際の世の中は、因果関係がわからないものばかりだ。ポンペイ遺跡の出土品を盗んだ女性が乳がんになったのも、遺伝や生活習慣など無数の理由が考えられる。「これだ」という原因の特定は困難だ。

そんな時に人はわかりやすい答えを探そうとする。本来存在していた複雑な要因を無視して、何かをスケープゴートにする。その意味で、現代社会にも呪いは溢れている。つまり呪いの正体の多くは、わかりやすさを求める人間の弱さに行き着く。

同様の理由で神頼みも成立する。本当に何かを叶えたいならば、自らの努力はもちろん、時機を見極める勘も必要だ。さらに時代や環境といった自分ではどうすることもできない要素も夢の実現には関わってくる。

祈りという行為は、その複雑さを全てすっ飛ばしてくれる。「非常事態宣言を出せばコロナは解決」というのも現代版の「神頼み」であり、祈りなのだろう。インテリと称される人までわかりやすい祈りに飛びつく様は滑稽であり、哀しい。それならばまだ、実際の寺社へ行ってお賽銭《さいせん》でも投げてくれていた方が、他人に迷惑はかからないし、少なくとも宗教施設は潤う。もちろん本当に神頼みの効果がある可能性も否定しない。

ただ感染症対策という面では、そろそろ現金でのお賽銭は廃止して、電子決済を増やして欲しいところだ。「それだと伝統が」とか馬鹿なことを言う人もいるが、元々は稲や農作物など現物を供えていたはず。貨幣経済の浸透は、宗教の長い歴史の中ではごく最近のことである。

伝統を重んじる人は、ぜひ米でも野菜でも担いで参拝に行って欲しい。（2021・1・14）

「悪い予感ばかり当たる」という人がいる。きっとその人は、「悪い予感」ばかりを覚えているのだろう。人間は主観的に任意の出来事を組み合わせて、「物語」を作る能力に長《た》けている。

ファクトは感情に勝てない

「Frighten-titillate（恐怖と刺激）」。映画『スキャンダル』でアメリカのＦＯＸニュースの流儀として説明される言葉だ。視聴者を釘付けにするには、絶えず恐怖と刺激を与えろというのだ。

ＦＯＸに限らず、世界中のマスコミは「恐怖と刺激」戦略と無縁ではいられない。新しい感染症が流行すれば、まるで世界が終わるかのような緊張感で恐怖を煽り、たった一件の猟奇殺人に対して、日本が無法者だらけの修羅《しゅら》の国になってしまったかのように騒ぎ立てる。

だけどこれはマスコミが悪い、という単純な話ではない。強いて言えば、悪いのは人間の感情そのものだ。

文明が発達したこともあり、人間は正しく世界を恐れることができない。

たとえば蜘蛛《くも》や蛇が怖いという人は多いだろう。「蜘蛛恐怖症」という言葉もあり、『アラクノフォビア』という映画まで製作されている。確かに太古の昔、蜘蛛や蛇を恐れることが合理的だった時代があるのかも知れない。しかし2018年の「人口動態統計」によれば、日本において蜘蛛毒で死んだ人はただの一人もいない。蛇の毒で命を落としたのも二人だけだ。

一方で「気道閉塞《きどうへいそく》を生じた食物の誤《ご》えん」は4604人もいる。その多くが正月に餅《もち》を喉に詰まらせた高齢者だと考えられる。それなのに餅好きばかりで、「餅恐怖症」という人には、めったにお目にかからない。

もしも人間の恐怖が合理的ならば、砂糖を舐めただけで気絶するべきだし、自動車を見ただけで発狂すべきである。数字を見る限り、蜘蛛や蛇よりも、砂糖や自動車の方が間違いなく多数の死者を生んでいる。

他人を説得する時は、いくら事実(ファクト)を提示しても無意味に終わることが多い。新しいデータを提供したところで、相手は自分の先入観を裏付ける情報なら即座に受け入れるが、反対の証拠には冷ややかな目しか向けないからだ(『事実はなぜ人の意見を変えられないのか』)。「確証バイアス」といって、人間は自分に都合のいいデータばかりを集めてしまうのだ。

もしもそうなら、世の中の論争はほとんどが無意味ということになる。ツイッターなどでは、いつも誰かが口汚く激論を交わしている。しかし誰かが意見を変えるのを目撃することは、ほとんどない。

たとえば小泉進次郎環境大臣（当時）が国連の気候行動サミットに参加した際の「気候変動のような大きな問題は楽しく、クールで、セクシーに取り組むべきだ」という発言が話題になった。

この「セクシー」に噛みついた識者も多い。しかし「セクシー」は同席していたクリスティアナ・フィゲレス国連気候変動枠組み条約前事務局長のかねてからの持論で、環境問題の議論で「Soft and Sexy」という言葉が登場することもある。

まあ古くは、太平洋戦争に敗北したことを信じない「勝ち組」なる人々もいた。人間の感情の前に、事実はあまりにも無力なのである。それに気付かないこともまた愚かなのだろう。

（2021・1・21）

「セクシー」発言がクリスティアナ・フィゲレスさんの持論と指摘されてもなお、小泉進次郎さんを批判する論者がいた。後に引けなくなった人は訳のわからない言い訳を重ねるもので、それ自体エンターテインメントとして見応えがある。

日本に呪文使いがいないことを喜ぶ

他人を意のままに操る言葉。味方の防御力を上げる言葉。そして誰かを殺してしまう言葉。

古今東西のファンタジーにはそうした言葉、つまり呪文が数多く登場する。もしも、ある言葉を唱えるだけで世界が思い通りになるなら、そんなに楽なことはない。人々の願望を叶える意味もあって、数多くの物語には呪文が登場するのだろう。

しかし呪文は現実世界にも存在する。もちろんハリー・ポッターの「エクスペリアームス」や、天空の城ラピュタの「バルス」のように、一単語が武装解除や滅びの呪文として機能するという意味ではない。

新型コロナウィルスが世界中で猛威を振るう中で、リーダーたちの言葉が注目を浴びた。特に評価が高かった一人にドイツのメルケル首相（当時）がいる。2020年3月18日に行われたテレビ演説は支持率の持ち直しにも一役買った。

当時、ドイツは感染者の急増により、一部の州で不要不急の外出が禁止され、飲食店や理髪店も閉鎖された。さらには国境管理も強化、移動の自由も制限された。この強権的な措置に対してメルケルは、旧東ドイツ出身者として発言する。我々は旅行の自由や移動の自由を権利として勝ち取ってきた。国家による自由の制限は軽々しく実施されるべきではない。しかし命を救うために、この決断が避けられない。

確かにスピーチを聞いてみると、「苦渋の決断」という雰囲気が嫌というほど伝わってくる。血が通った言葉とも言える。

同様にニューヨークのクオモ州知事（当時）のスピーチも評価が高かった。外出禁止令を出した際には「私が全責任を取る。もしも他人を非難したかったり、不満や苦情があるなら、私を責めてくれ」と発言、その後も大統領候補に名前が挙がるほどの人気を集めた。

さて、その後のドイツやニューヨーク州はコロナ対策に成功したのだろうか。2021年1月までで、ドイツの感染者は累計約200万人、死亡者も4万人を超えた。人口が2000万人に満たないニューヨーク州でも死者は約4万人。とてもコロナ対策に成功したようには思えない。

一方、2020年までの数字を見る限り、日本は最も高齢化が進む国でありながら、感染者も死亡者も世界的に見れば低い水準だった。しかしリーダーの評価は散々である。首相も代わった。

もちろんコロナ対策の成否をリーダー一人に押し付けるのは間違いだ。だがそれなら、一人のリーダーの「ただの言葉」を過剰に称賛するのも、やたら翻弄されるのも間違っている。

やはり言葉は呪文なのである。根拠がなくても、結果が伴わなくても、力強く巧みな言葉に人々は動かされてしまう。古代から、世界中のリーダーは言葉を操り、人々を戦わせてきた。その悲劇の大きさに比べれば、物語に登場する呪文など、ほとんどがかわいらしいものだ。それにしても、現代日本の政治家に卓越した呪文使いはいないことがわかった。少なくともそれは悲しむべきことではない。

（2021・1・28）

2022年9月27日の国葬では、菅義偉前総理大臣による弔辞が大きな反響を呼んだ。たった2133文字の「呪文」が、多少なりとも日本社会の雰囲気や、菅さんの評価を変えた。なぜ首相在任中にその能力を発揮できなかったのか残念に思う。

人間の時代はしばらく終わらない

何か新しいことを試そうと思って、この原稿はノートに手で書いている。キーボードを使った時と比べて、文体くらいは変わるかも知れない。手書きで文章を書くのは高校生以来だろうか。実に不便である。修正には手間がかかるし、何よりも手が疲れる。

今でも学校現場では手書きが一般的だというが、全くもって信じられない。漢字や英語など、記憶定着のための手書きならいいが、作文を手で書かせるなんて害悪とさえ言える。けんしょう炎になったら誰が責任を取るのか。大人がしていないことを子どもにだけ強いる意味はない。

しかも手書きの文字は他者にとっても迷惑だ。読み辛い上にデータとしても扱いにくい。大作家ならば汚い文字をＦＡＸで編集部に送るのも許されるだろうが、我が家にはＦＡＸなどない。

せっかく手書きにした文字をキーボードで打ち直すのも何なので、グーグルアプリのレンズ機能を使ってみることにした。

実に簡単である。まずスマホにグーグルアプリをインストールする。そして検索ウィンドウの右側にある四角いレンズアイコンをタッチ。カメラが起動するので、モードを「テキスト」にして、汚い字を撮影する。「すべて選択」「パソコンにコピー」で、ワープロソフトなどにテキスト化された文字を貼り付けられる。

手が疲れてきたので、ここからはパソコンで書く。よく手書きの是非が議論されるが、グーグルのレンズ機能の便利さを前に、そうした議論は馬鹿らしくなる。

グーグルレンズでは、世のほとんどのものを検索できる。街角で見かけた花や鳥にスマホをかざせば、「サザンカ」や「オオミズナギドリ」などと教えてくれる。特徴的なビルや家具、ワインなども探し当ててしまう。さらに「宿題」機能を使えば、数学や科学の問題を解くヒントを教えてくれる。もちろん自動翻訳も得意だ。

手書きどころか、学校で教わることの多くが、グーグルレンズで代替可能である。もはや人間は何も学ぶ必要がないのか。

旧世代にとって朗報なのは、しばらくは人間側の抵抗が続くことだ。たとえばグーグルレンズでは人間の顔は検索できない。技術的には簡単でも、社会がそれを許さないからだ。

加えて、どうやら人間は、同時代を生きる生身の人間に興味がありそう、ということもわかっている。たとえばいくら人気を博した小説やエッセイでも、作家が死ねばほぼ全て忘れ去られてしまう。ロボットの演奏会に通いたい人もごく一部だろう。労働者がＡＩに置き換わることがあっても、消費者の主役は人間である。その意味で、人間の時代はしばらく終わらない。

グーグルが妙な人間臭さを装い始めた時が、一つの分水嶺になるのかも知れない。試しにグーグルホームに、「人間の時代はいつ終わるか」と聞いてみた。答えは「私は予言者ではありませんが、今を生きるあなたがハッピーになるように全力でお手伝いする」。意外と人間の時代は短いのかも知れない。（２０２１・２・４）

欧米で機械化の進んだ一つの理由に人件費の高さが挙げられる。多少の初期投資があっても、機械に任せた方が安上がりなのだ。一方で日本は人件費が安く、かつ良質な労働者が多い。日本だけ人間の時代が続いたりして。

流行るとはバカにされること

音楽評論家の吉見佑子さんがツイッターで興味深いことを呟いていた。

かつては、家にテレビがないこと、ミニマルライフやオーガニックを好むことが「知的」だと見なされていたのに、最近では「バカの象徴」にもなったというのだ。結論は「流行るってどこまでも庶民の出来事」。確かに定義上、庶民まで広がらないと流行とは言えない。

僕なりに言い換えると「流行るとはバカにされること」なのだと思う。

世の中にはメジャーとマイナーという二つの島が存在する。たとえば映画や音楽の世界で言えば、人気者が住むメジャー島と、決して大ヒットにならないマイナー島がある。興味深いのは、全てのクリエーターがメジャー島を目指すわけではないという点。なぜならメジャー島の住民は、とにかくバカにされるから。「売れるまではよかったのに」とか「悪魔に魂を売った」とか、散々な言われようだ。

一方、評論家と呼ばれる人々は概してマイナー島の作品を褒める。埋もれがちな作品に光を当てるという点では意味ある行為だ。彼らのおかげで、ビッグヒットには恵まれない代わりに、尊敬や称賛と共に生きていけるクリエーターが生まれる（中には普段はマイナー島に住んでいるのに、メジャー島に出稼ぎに来る器用な人もいる。坂本龍一さんとか）。

勿体ないのは、せっかくメジャー島に行けたのに、バカにされるのが嫌で、マイナー島に戻ってしまうクリエーターがいること。

それくらい人間にとって、褒められることは快楽であり、バカにされることは屈辱なのだろう。もしもあなたが何かの業界の重鎮で、新人潰しをしようと思ったら簡単だ。権威がありそうな賞を作るのである。そして賞には決まって、大して面白くないものを選び続ければいい。新人たちは競ってつまらない物作りをするようになり、重鎮のあなたは安泰というわけだ。

メジャー島には絶対的な観客数が多い。当然、頭のよしあし、知識の量、嗜好にはばらつきがある。頓珍漢《とんちんかん》な批判を受ける確率も高くなる。一時期のYOASOBIなんかも、「少なくとも家のスピーカーで聴く音楽じゃない」と言われていて可哀想だった。今時、家のスピーカーで音楽を聴く人なんてどれだけいるのだろう。

もちろん、メジャー島に住み続けることは難しい。大衆は移り気で、次々に新人が発掘される。同じことを続ければ飽きられるし、新しいことに挑戦すれば「変わったね」と客が離れていく。長年活躍を続けているミュージシャンは、ファンの教育が上手い。既存ファンだけではなく、より大衆向けの作品を発表したり、その塩梅《あんばい》が絶妙なのだ。

評価は時代によっても変わる。日本を代表する文学作品として名高い『源氏物語』も、中世には酷評されていた。作者の紫式部が虚言を書いたことで地獄に落ちてしまったという紫式部堕獄《だごく》説が唱えられたほどだ。

他人の声を気にしすぎても仕方ない。しかし嫌われる勇気を持つのは難しい。褒め上手のＡＩの登場でも待てばいいのだろうか。（2021・2・11）

出版界では「テレビに出ると本が売れなくなる」という都市伝説がある。だが池上彰さんや、五木寛之さんなど、例外はたくさん。一方で、テレビにも出ないし、売れもしない作家もたくさん。正しくは「テレビに出ようが出まいが、ほとんどの本は売れない」だろう。

自分が「古く」なることを想像してみる

森喜朗元首相の女性差別発言が批判されている。発端は日本オリンピック委員会の臨時評議員会で、「女性がたくさん入っている理事会の会議は時間がかかる」などと述べたこと。その後、取材に応じて発言を撤回したものの、糾弾の声は止まず、森元首相の進退のみならず、ジェンダーに関する大激論が交わされている。

比喩的な意味で「男の会議」と「女の会議」を分類するならば、「男の会議」には根回しが欠かせない。会食やゴルフの場で交渉を繰り返しているから、実際の会議ではほとんど発言をしない。だから会議自体は短くても、意思決定にやたらと時間がかかる。

そもそも、権力を持つ男性の話は長いという研究もある。確かに校長先生や町内会長から政治家まで、壇上に登りたがる男の話は、大抵長い。

恐らく少し前の日本だったら、森元首相の発言は大きな問題にならなかっただろう。文脈は違うが、1980年代には、当時の中曽根康弘首相が、出産と育児は「女性の特別の使命」であり「女性はまず母として100%立派な母になっていただきたい」なんてことを国会で堂々と発言していた。

社会は変わる。それは希望である。この国でさえ、生まれによって差別されない世の中に近付きつつある。政治家や管理職など指導的な地位に就く女性は増えていくだろうし、選択的夫婦別姓や同性婚の実現も遠い未来ではないはずだ。

だが同時に思う。もしも自分が守旧派のまま取り残されたら、どのような行動を取るのだろうと。

中国型の「幸福な監視社会」に注目が集まっている。中国政府はITを用いて、徹底的に個人の行動を監視する。言論や集会の自由は制限され、国家の方針に異を唱えた人は容赦なく投獄される。代わりに、大多数の人々は経済的な幸福追求に勤しんでいる。

特に新型コロナウィルスの流行において、国家は強権的なロックダウンを繰り返し、一部の人の私権制限と引き換えに、99%以上の人は自由な活動を謳歌《おうか》している。政治制度としては自由を尊重する欧米で、市民の多くが、依然として不自由な生活を強いられているのと対照的だ。

民主主義は決して普遍的な政治制度ではない。21世紀中に、日本を初めとした国々が、中国型の統治を採用する可能性は十分にある。

その時「民主主義を守りましょう」「言論の自由は大事です」と言ったところで、老人の妄言だと一蹴されてしまうのではないか。意思決定に膨大な時間がかかり、くだらない議論に振り回されていたあの時代に戻りたいなんて、これだから高齢者は困ると若者に馬鹿にされるのだ。

森風に言えば「人間がたくさん入っている会議は時間がかかる」。

森元首相の発言を擁護するつもりはないが、鬼の首を取ったように彼を批判する人も未来のことを考えておいたほうがいいと思う。いつか自分が古くなってしまった時、どんな思想と言葉で新しい社会と折り合いをつけるのか。

（2021・2・25）

現在、民主主義国の人口は3割を切っている。中国をはじめとした強権的な国家が、世界の主流になりつつあるのだ。自由と民主主義が「時代遅れ」と見なされる日は、そう遠くないのかも知れない。

若者は常に嫉妬される

「若者」という言葉をよく聞く一年だった。

テレビなどでは繰り返し渋谷の路上が映し出され、「若い世代の人出は減っていません」というナレーションが挿入される。若者が新型コロナウィルス感染拡大の元凶とされたのだ。

石川県では飲食店でのクラスターが多発しているとして、2月12日に「『飲食』『若者』感染拡大特別警報」なるものが発令された。

仮に、ある性別や特定の人種にだけ流行しやすい感染症が蔓延することがあったら、メッセージの発信方法には慎重になったはずだ。「女性感染拡大特別警報」や「黒人感染拡大特別警報」など炎上必至である。

無症状の若者が、危機感なく街をほっつき歩いているからコロナの流行が止まらない。そう考えている人は多いだろう。しかし東京都の調査では、感染者に占める無症状者の割合は高齢者の方が多かったという。

もしも若者が感染拡大の原因だというならば、コロナの収束も若者のおかげということになる。しかし感染者数が減少しても、「若者のみなさん、ありがとうございます」という声は聞こえてこない。それどころかテレビでは、未だに夜中に公園のベンチで酒を飲む若者たちまで批判的に報じる始末である。感染症対策として、戸外の活動はリスクが低いはずだけど。

思い出したのは『絶望の国の幸福な若者たち』という本を書くときに調べた、戦時下における若者への対応だ。

１９３８年、警視庁は喫茶店や映画館、ダンスホールで遊ぶ学生たちを一斉検挙した。いわゆる学生狩りである。当時の新聞読者欄には「安月給取りなど足許にも及ばぬようなメリケン好みのオーバー」を着たりして、「女と手を組んでのアベック闊歩《かっぽ》」する学生批判が寄せられていた。

しかし戦争に協力する限りにおいて若者は礼賛《らいさん》された。京都大学在学中に入営し、22歳で戦死したある若者は、その気持ち悪さに敏感だった。学生狩りの時に若者バッシングをしていた人が、学徒出陣を礼賛するというのだ。

このように日本における若者は「都合のいい協力者」として扱われることが多かった。

自分たちの意にそわない若者を「異質な他者」として糾弾する一方で、注文通りに行動してくれる若者を持ち上げる。しかし彼らはあくまでも名目上の協力者だ。戦時中であれば戦地に送られたし、現代であれば特段の補償もなく自粛が求められる。

どんなに若者に寄り添ったように見えるメッセージも、要約すると「お前らは黙って高齢者に協力しろ」という場合が少なくない。

当然ながら一口に「若者」と言っても内実は多様である。それでも「若者」バッシングが止まないのは、かつて誰もが若者だったからなのだろうか。憧憬《どうけい》と嫉妬が入り交じり、自分の中のネガを若者に投影してしまうのだろうか。

僕自身、若者とは言いにくい年齢になった。来年あたりには、嬉々として若者批判でもしているのかも。

（2021・3・4）

持論なのだが、年齢とは相対的なもの。三十代の僕でも、小倉智昭さんの隣にいれば「若者」に見えるし、田原総一朗さんと共演すれば「孫」に見える。おじいちゃんは大事にしたいものである。

会ってつまらない人はヒットを生み出せない

経済学者のフリードリヒ・ハイエクは1975年に西山千明と行った対談の中で、「宿敵」ケインズについて、こんな風に語っている。

「調子のいい時には比類ないほど上手な文章を書き、しかもすばらしい声の持ち主で、彼の講演は人の心をひきつけずにおかない魅力的なものでした。それらを駆使して人を説得する、抜群の説得力を持っていたのです」(『新自由主義とは何か』)

ハイエクはケインズ経済学を真っ向から批判する。曰く、ケインズは1930年代の世界恐慌の時にのみ有効だった解決策を、一般理論として主張してしまった。ケインズより16歳年下だが、ハイエクは何度も論争を仕掛け、ケインズの死後も、その理論を痛烈に批判している。

そのハイエクが、ケインズの「文章」と「声」に注目しているのは興味深い。

教科書に掲載されるような学者は、純粋にその知性や理論が評価されたと思われがちだ。実際、偏屈で他人との交流を嫌う孤高の研究者もいるだろう。数学の難問であるポアンカレ予想を解決したペレルマンも、ほとんど人前に姿を現さないことで有名だ。

しかし通常、研究にはお金がかかる。企業や公的機関を説得して資金を調達するなら、研究者は偏屈な人嫌いでは勤まらない。実際、iPS細胞で有名な山中伸弥さんのスピーチなんて、いつもユーモアに溢れている。

偉人の多くは、人物としても魅力的だったのだろうと思う。よくも悪くも、同時代の人が噂をしたくなるようなエピソードに溢れていたのだろう。

僕の経験上も、ヒットメーカーは実際に会っても面白い人ばかりだ。朴訥《ぼくとつ》とした語り口であろうとも、話す内容が知性やアイディアに満ちている。正直、「会ってつまらない」にもかかわらず「成果物が非常に素晴らしい」という人物に遭遇したことはない。

もちろん「面白い」や「つまらない」は受け手の主観だ。声や見た目などの特性に影響を受けている可能性は大いにある。もしもケインズが下手な文章しか書けず、ひどい声だったら、これほどのビッグネームになれたかは不明だ。

しかし声や見た目を変えるのは難しくても、話し方は変えられる。

僕なりに「話がうまい」を要素分解してみると、（1）当意即妙《とういそくみょう》に振る舞える、（2）知識が豊富、（3）論理的に話せる、となる。テレビタレントが得意な（1）の能力ばかりが「話がうまい」ともてはやされるが、実際には（2）も（3）も重要だ。特に（2）の知識などは、後天的に身につけやすい。（1）はできるに越したことはないが、飲み会では重宝されても、人生に絶対に必要な能力ではないだろう。

薄っぺらなコンサルタントのように、淀《よど》みなく、自信満々に話ができる人に憧れる必要は決してない。約20年前、大学の入学式でＯＢ代表として、とある男性が流暢《りゅうちょう》なスピーチをしていた。

流暢であったこと以外、内容を何一つとして思い出すことができない。

（2021・3・11）

「声の文化」は「文字の文化」よりも古い。かつては文字の使用が批判されていた時代もあった。古代ギリシャの哲学者たちは、書くことは非人間的であり、記憶を破壊すると述べていたという。そのうち「大事なことは文字じゃなくて動画にして下さい」と怒られる時代が来るのかも。

「国民」という言葉は要注意

令和時代の天皇は「国民」ではなく「皆さん」という言い方を好む。

２０１９年5月、即位後初となる一般参賀が開催されたが、その時の「おことば」が象徴的である。「今日このように、皆さんからお祝いいただくことを嬉しく思い、深く感謝いたします」というように、「国民」ではなく「皆さん」を積極的に用いていたのだ。他の「おことば」でも、「上皇陛下」や「歴代の天皇」の歩みに言及する時は「国民」を使用するものの、自身の言葉としては「皆さん」が中心だ。

２０２１年の「新年ビデオメッセージ」でも「皆さん新年おめでとうございます」というように「皆さん」を10回使用する。一方で「国民」は一度だけ。しかも「国民の皆さん」という言い方だ。

対照的に、平成時代の天皇は「国民」を好んだ。１９９０年に開催された一般参賀でも「今日このようにして国民の祝意を受け、誠にうれしく深く感謝の意を表します」と述べている。

「皆さん」には開放的で、平等的な響きがある。

この時代、「おことば」を聞くのは何も「国民」だけではないだろう。「国民」とは「日本国籍保持者」と同義である。しかし日本国居住者のうち300万人弱が外国籍だ。さらに事情があって日本国籍を離脱した元「国民」もいるだろう。「皆さん」とは、そのような人々をも包摂《ほうせつ》し得る言葉だ。

そんな「国民」と「皆さん」の関係に異変が起こった。

2021年2月、天皇誕生日に先立ち実施された会見では「国民」が15回用いられたのに対して「皆さん」は16回で、うち7回は「国民の皆さん」である。「我が国の国民の忍耐力や強靱《きょうじん》さに感銘を受ける」といったように、これまで意図的に避けてきただろう用法でも「国民」を用いていた。政治学者の原武史さんは、ツイッターで「どこか(たぶんあの方からか)横やりが入ったか」と推測する。

日本国の象徴が「国民」と「皆さん」のどちらを使うべきかには賛否両論があるのだろう。

一般人が使う時でも「国民」にはどこか排他的な響きがある。たとえば「日本国民は怒っている」と言えば、怒っていない人は論理的に「非国民」ということになってしまう。

僕自身、国家や政府を主語に物事を語る時や、統計を紹介する時などを除き、できるだけ「国民」を使わないようにしている。ただでさえ偉そうな文章に、統治者目線まで加わってしまうのが嫌だからだ。

国家主義者が「国民」を多用する分には驚かないのだが、あるライターがさらっと「日本の国民性」と紋切り型の言葉を使っていて驚愕した覚えがある（武田砂鉄『紋切型社会』）。その「日本の国民性」とされる事例に共感できない読者は「日本の国民」ではない、ということなのだろうか。

もちろん「皆さん」にもケチは付けられる。強制的に自分も含まれる逃げ場のない言葉だからだ。たとえばＮＨＫは「みなさま」を多用するが、自分は「みなさま」に含まれないと受信料の支払い拒否が多発している。

（２０２１・３・18）

感染症流行下で日本政府が、「国民」ではなく領域内住民の保護を優先したのは興味深い。２０２１年には、日本に到着した「日本人」に対して、書類不備を理由として出発地に「送還」される事件まで起こった。日本も批准している世界人権宣言第13条の2項に反する可能性もある。

緊急事態には賞味期限がある

『大辞泉』によれば「緊急」とは「重大で即座に対応しなければならないこと」という意味である。

『世界大百科事典』によれば、「緊急事態」や「非常事態」とは「戦争、内乱、天災地変等の事態が、通常の統治体制ではそれに対処できないと考えられる場合」だという。

東京では、その「緊急事態」が何ヶ月も続いている。

人々がニュース速報のアラームに身構えるのは、それがめったにないことを知っているからだ。もしもアラームが四六時中鳴り響いていたら、それは日常になってしまう。同じことが緊急事態宣言にも当てはまる。

２０２０年４月に１回目の「緊急事態宣言」、11月には「勝負の３週間」、12月には「真剣勝負の３週間」、そして２０２１年１月からは１ヶ月の予定で「緊急事態宣言」、２月には宣言の延長、３月には再延長があった。

友人曰く「ボジョレーヌーヴォーみたい」。毎年11月の解禁時にはそれなりの盛り上がりを見せるが、販売業者のキャッチコピーが振るっている。ウィキペディアに並ぶのは「ここ10年で最もいい出来栄え」「110年ぶりの当たり年」「100年に1度の出来とされた2003年を超す21世紀最高の出来栄え」などの文言だ。

もっとも宮崎駿の「引退宣言」同様、ネットで面白おかしく語られすぎているきらいもあるのだろう。そう思って、エノテカがまとめていたフランス食品振興会による公式見解の和訳を抜き出してみると「ここ10年で最高」「並外れて素晴らしい年」「とてもうまくいった年」「桁外れに素晴らしい年」。具体的な数字を使っていないだけで、やはり大げさな気がする。

大方の人が気付いているように、新型コロナウィルス対応はすっかり政治化してしまった。エクモ治療の実施件数や重症患者数などのデータではなく、政治的立場や政局が重視され、政策が決まっていく。

その時点で、すでに「緊急」でも何でもないと思うのだが、振り返れば大震災や戦争が起こった時も、ままエビデンスよりも政治が重視された。

人間社会の限界なのだろう。AIに任せれば済むという話ではない。感染症対策にしても国防にしても、たった一つの正解があるわけではない。いくつかの最適解らしきものは、他国や過去の事例から示せても、どれを選ぶかは政治家に任されている。社会的に重要な決断には、どうしても政治的思惑が介在してしまうのである。

それを隠すように、各国のリーダーは雄弁を振るったり、「緊急事態宣言」のようなキャッチーな言葉に頼ったりする。日本の緊急事態宣言には法律的な裏付けもあるが、それ以上に仰々しい表現が果たした役割は大きかったと思う。

だが2回目の宣言はつまらない続編映画のようだ。どうせならボジョレーヌーヴォーや映画を参考にして、「並外れて真剣な緊急事態宣言」「今世紀最大の緊急事態宣言」「ザ・緊急事態宣言・ファイナル」などを発出してみたらどうだろうか。

（2021・4・1）

2021年、東京都などは一年の大半が緊急事態宣言下にあった。10年以上前から日本政府では、未知の感染症の流行を警戒して様々な計画を練ってきた。その中で「外出自粛の要請」として想定されていた期間は「1、2週間」。世論に流されるのも大概にして欲しい。

問題は「誰と共に生きるか」だ

昔、風光明媚《ふうこうめいび》な北欧の島に、それほど仲良くない熟年カップルと一緒に出かけてしまったことがある。3人で島の名所を巡ったのだが、久しぶりに恋に落ちたらしい彼らの、たどたどしさや、ぎこちなさばかりが印象に残っている。

今となってはいい思い出だが、当時はしみじみと思ったものである。旅行は、どこに行くかよりも、誰と行くかのほうがはるかに重要である、と。

実際、旅の記憶というのは、場所そのものというよりも、感情と共に蘇ることが多い。そして感情というのは、一人きりよりも、誰かといる時に抱きやすい。

これまでの人生で2回、アウシュビッツ強制収容所跡地へ行ったことがある。

1度目はノルウェーへの留学中、友人と3人での訪問だった。僕たちは既にウィーンやプラハを巡る10日間の旅程で、何となく気まずくなっていた。だから正直なところ、人類史に残るジェノサイドの現場に行ったという畏怖の念よりも、「どうしてこのメンバーで来てしまったのだろう」という戸惑いを思い出してしまう。

2度目は講談社の編集者と共に取材として訪れた。博学な彼と共に、博物館としての展示方法などをブレストのように議論できた時間は、同じ場所の記憶にもかかわらず、まるで別の体験として蘇る。

「誰と」が大切なのは、旅に限らない。どのような他者と共に人生を送れるかは、個人の幸福感のみならず、その成果物にも大きな影響を及ぼす。

人類史上、イノベーションと呼ばれるものは、人口密度の高く、豊かな都市で生まれている（マット・リドレー『人類とイノベーション』）。現代のシリコンバレー、ルネサンス期のイタリア都市国家はもちろん、農業は肥沃な川の流域で、石器のイノベーションも魚介類の豊富な南アフリカで起こった。

対照的に、孤立した環境では、イノベーションどころか、一度は導入したテクノロジーの放棄さえ起こるという。ヨーロッパの探検家が到着するまで、オーストラリアのタスマニア島の住民は外界との接触がなく、近代まで狩猟採集の生活を続けていた。

要は、人口が多く優秀な人が集まりやすい場所にいたほうが、お互いが影響し合って、創造性が高まるということなのだろう。

もちろん農業が人類を不幸にしたという説もあるように（貧富の差や腰痛の原因にな

った）、必ずしもイノベーションが同時代人を幸せにするわけではない。

しかしどんな環境に身を置くかは重要である。生まれる場所を選ぶことはできないが、生きていく場所を選択していくことはできる。世界の自由度 国別ランキング（2021年）によれば、日本は12位で、まあまあの上位と言えるだろう。

今でもふとあの熟年カップルのことを思い出す。その後、幸せになったか、それとも別れたのか。もう名前さえ忘れてしまったが、二人の微笑ましい写真だけは残されている。削除しようか迷ってそのままにした。


（2021・4・8）

世界の自由度ランキングは「世界の自由度報告書」による。確かに制度的には、日本は経済的・政治的に自由な国だ。総理大臣は選挙で選ばれた議員の中から決まるし、表現や信仰など数々の「自由」が憲法で保障されている。だがふと思う。「空気の自由」はあるのだろうかと（P68参照）。

小倉さんの未来に思いを馳せる

若い友人に盛大な誕生日パーティーを企画しようとして、取りやめになったことがある。理由は、人生のピークを今にしたくないから。

面白い発想だと思った。

人生のピークをいつだと思うかは人それぞれだ。「高校時代はよかったな」と語る大学生もいれば、「俺はまだ本気を出していない」と語る七十代の漫画家もいる。

後者は『北斗の拳』や『サンクチュアリ』の原作者として有名な武論尊《ぶろんそん》さんだ。本気で次のヒット作を考えているのである。

並みの人間であれば、成功してしまった後、どうしても「次の一手」に臆病になってしまう。オーディエンスからは「劣化した」とか「昔の方がよかった」とか手厳しい感想を浴びせられるかも知れない。

そんな批判に遭うくらいならと、「隠居」してしまうクリエーターも多い。本当の引退という場合もあるし、ヒット狙いではないとアピールしながら、いかにも褒められそうな作品だけを発表する人もいる。

もちろん美学は人それぞれあっていい。だけど人生の終わりは不確定だ。「第一波」以上のブレイクが「第二波」、「第三波」として来ることもあるだろう。

Mr. Children の桜井和寿さんはライブのMCで、まだまだ大ヒット曲を出したいと言っていた。最近でも「innocent world」の練習をしているのだという。もっと上手になりたい、ということらしい。

フジテレビの朝の顔として、22年間にもわたって親しまれてきた「とくダネ!」が2021年3月末で幕を閉じた。司会の小倉智昭さんは73歳。世間には「これで小倉さんも引退か」といった反応もある。確かに会社員で考えればリタイアの年齢として不自然ではない。

しかし本人はまだまだ現役を退く気はないようだ。

テレビ越しの小倉さんは「いじわるじじい」にしか見えないが、実はスタッフから慕《した》われている。理不尽な要求はしないし、周囲のミスも自分が背負う。気遣いは欠かさない。気象予報士の天達武史《あまたつたけし》さんなど「とくダネ!」発の有名人も多い。その意味で、番組の最終回を残念がっているのは、視聴者よりも周囲の人間かも知れない。もっとも、坂上忍さんのように、昔は血気盛んな時期があったのかも知れないけれど。

僕が初めて「とくダネ！」に出演したのは2012年9月。中国で若者による反日デモが盛り上がっている頃だった。僕も年を取ったが、小倉さんの隣にいる限りは「若者」ぶることができた。力士の隣に並ぶと誰もが激やせして見えるように、年齢とは相対的なものだ。

こんな風に、小倉さんの「功績」は、いくらでも書き連ねることができる。しかし、過去に属する事柄よりも興味があるのは、未来に関することだ。

いつが人生のピークなのかは誰にもわからない。しかも人生100年時代である。ひょっとしたら、次の作品が小倉さんの代表作となる可能性もある。今から何か新プロジェクトを始めて23年間続けたとしても、まだ96歳なのだから。

（2021・4・15）

仕事で福井に行った時、「小倉さんの講演会がとても感動的だった」という話を聞いた。ユーモアを交えながら、自身の闘病体験を語ったらしい。その講演がきっかけで、県内の男性用トイレでサニタリーボックスの設置が進みつつあるという。小倉さんの言葉の力は健在だった。

伝統を守る人が文化を破壊する

高級ブランドとして有名なヴァレンティノの広告が炎上した。畳《たたみ》の部屋にモデルが土足で座り込んだり、着物の帯に見える布をハイヒールで踏んだりというのが、日本の伝統文化に対する冒瀆だというのだ。

「時代劇では土足どころか、畳の上で殺し合いまでしていますよね」と突っ込みたくなるが、まあいい。気になったのは「伝統文化」という不思議な言葉である。

確かに畳は日本列島で古くから使われていた。今から約千年前、平安貴族の邸宅には、既に畳が見られる。しかし用途は今の畳と大きく違った。何と移動式なのである。邸宅は板敷なのだが、人がいる場所にのみ畳が置かれ、縁《へり》の柄が座る人の身分を表していた。

床中に畳を敷き詰めるようになったのは、室町時代からと言われている。１４８６年建立の東求堂《とうぐどう》は、ほぼ同じ大きさの畳によって部屋が構成されていて、現代人にも馴染みのある見た目だ。書院造の源流と言われる。

庶民も土間の上に藁《わら》を敷いて生活していたのが、次第に畳を使い始め、江戸時代の長屋には狭いながらも畳敷きの部屋があった（『日本住居史』）。

畳を日本の「伝統文化」と言った時、果たしてどの時点を伝統の基準にするべきなのか。古さで言えば、移動式こそが本来の畳であり、書院造は邪道ということになる。書院造を基準にした場合、床の間や棚などの座敷飾りを省いた現代の和室はルール違反となる。畳に土足どころの騒ぎではない。

そもそも畳は、ワラやイグサを編んだ敷物から発展したはずで、「敷物」という概念は半島や大陸由来かも知れない。あらゆる文化は土地を越えて影響を与え合っている。どれほど伝統に思えるものも、時代と共に不断に変化を経験してきた。言い換えれば、変化したからこそ、生き残って来られた。もしも「長押《なげし》や床の間を設置できない場合、畳の使用を禁止する」という決まりがあったら、ここまで畳は普及しなかったはずだ。

土足で畳に上がることに違和感を抱く人がいてもいい。しかしその正義感は、畳が国際化する可能性を奪ってしまうかも知れない。

日本国内における畳需要は減少し、イグサ農家も激減している。畳業界の未来を考えるなら、ハイヒールに踏まれたり、土足での使用を前提とする製品が増えてもいいのではないか。本当に畳を愛する人は、ヴァレンティノに抗議するのではなく、自宅のあらゆる部屋を畳敷きにすればいい。

いちいちマナー違反に目くじらを立てないことによって、文化は国際化していく。たとえば日本では洋食を食べる時も、碗や皿を持ち上げてしまう人を見かける。ヨーロッパの感覚なら無礼ということになる。コップ以外の器には口を直接つけるべきではないという慣習があるからだ。そのマナーを絶対に守れと言われたら、日本で洋食は大衆化しなかっただろう。

一方で「伝統文化」を守っているつもりの人が、図らずも文化を息苦しくさせ、その衰退に手を貸してしまっているとすれば皮肉である。

（2021・4・22）

実は「伝統」と呼ばれるものは、時代に合わせて柔軟にその姿を変えてきた。日本の場合、天皇制がその最たる例と言ってもいいだろう。また、漫画家のあだち充さんなども、昔からまるで画風が変わっていないと思いきや、きちんと進化している。

「地球を守ろう」は嘘まみれ

フランスで、短距離の国内線フライトを禁止する法案が成立しそうだ。具体的な基準は、電車を使って2時間半以内で到着できる区間。正式に法案が可決されれば、パリからボルドー、パリからリヨンなどは飛行機で行けなくなる。

二酸化炭素排出量の削減を掲げる気候変動対策法案の一部であるというが、この決定にも納得できない環境活動家がいるようだ。彼らが求めていたのは、電車で4時間の範囲における国内便は禁止せよというもの。

日本で言えば、東京―大阪便や富山便が2時間半法案で、広島便、青森や秋田便などが4時間法案でアウトとなる。特に東京と関西圏の航空便が禁止されたら、経済界に大きな影響を与えるだろう。

先進国の間で環境問題への注目が集まっている。スウェーデンのグレタ・トゥーンベリさんは国際的な有名人になったし、日本でも2020年7月からレジ袋の有料化が義務づけられた。

もっともプラスチックゴミの総量におけるレジ袋の占める割合は1・7％に過ぎない。また海洋プラスチックゴミの排出が多いのはインドネシアなどの東南アジア諸国や中国だ。日本はリサイクルや焼却処理が適切に実施されている。国際的な視野で考えるならば、日本中の人々が日々、イラッとしているレジ袋有料化などではなく、東南アジアへの技術支援を進めたほうが、よっぽど意味がある。

ところで環境に関する議論では、しばしば「地球を守ろう」とか「地球が危ない」といったフレーズが使用されることがある。

地球を擬人化して意識を高めたいのかも知れないが、嘘もいいところだと思う。地球は人間ごときに守れるような代物ではない。そもそも現在の人類の技術では、地球を破壊することは不可能だ。世界中の核爆弾を使えば、都市の破壊や、人類を激減させることはできるだろうが、地球そのものは壊れない。

環境保護は地球のためではなく、人類のための活動なのだ。気候変動や海面上昇によって居住困難地域が増えて困る、という話である。地球温暖化の危機を訴えるパンフレットなどでは、とってつけたようにホッキョクグマなど生物種の絶滅にも触れられているが、あくまでも本題は人類だ。

その人類はいつまで生き延びられるのか。長期的視点に立てば、再び地球に氷河期が訪れるのは確実だし、これまで5回発生している生命の大量絶滅イベントも繰り返されるだろう。隕石衝突や火山噴火などによって、大半の生物種が絶滅する可能性は大いにあり得る。

さらに太陽の膨張によって、約10億年後に地上は干上《ひあ》がり、この前後で地球生命は絶滅してしまう可能性が高い。そして約50億年後には完全に地球は太陽に飲み込まれてしまうという。

本当に地球を守りたいなら太陽の膨張を食い止める必要があるが、それよりも遥か前に人類は絶滅しているだろう。環境問題に熱を上げるのはいいが、それは「自分たちのため」というのを忘れずにいた方がいい。（2021・5・6、13）

実際にフランスでは、2022年4月から短距離路線禁止法が施行された。そして次なる対策として、プライベートジェット利用を制限するような措置を検討中だという。あくまでも「地球を守ろう」は建前で、他の政治的目的があるように見えてしまう。

呑気なのは悪いことだろうか

3度目の緊急事態宣言が発出されるというので、その前に百貨店に行ってきた。ショッパーを両肩に下げ待ち合せ場所に着くと、友人に笑われてしまった。「百合子の次に緊急事態宣言を楽しんでいる」と。

確かに1年前の宣言直前も、急いで百貨店に行って、現金を持たないのに小銭入れを買ったりしていた。まだ新型コロナのことがよくわかっていなかったから、換気がいいはずの映画館の座席の一角を買い占めて、他人と距離を取って映画を観たりもしていた。「大変だ」と騒ぎながら、宣言をちゃっかりイベントごとにしているのである。

この1年あまり、コロナに対する行政の対応に不満を持ちながらも、それなりに楽しく過ごしてしまった。友人とオンライン脱出ゲームに興じたり、Clubhouseにはまったり、ステイホーム生活を満喫している。

過剰なストレスで思い詰めてしまうよりもいいと思うが、こうした呑気《のんき》さはともすれば権力と親和性を持ってしまう。

たとえばアジア太平洋戦争の最中、国の方針に迎合した文学作品には、どのようなキャラクターが登場したか。現代の常識からは、愛国的な熱血体育教師のような人物を想像してしまう。実際、数々の戦時中の手記を読む限り、木刀を持って非国民などと喚き暴力を振るうような男も実在したのだろう。

しかし大塚英志さんの新刊『「暮し」のファシズム』によれば、体制協力的な作品には「ゆかい」で「のんき」な「飄々《ひょうひょう》」としたキャラクターが繰り返し描かれていたのだという。

太宰治の短編小説「十二月八日」が象徴的である。主人公の「夫」は、緊張感もなければ、頼りがいもない。しかし戦争に反対するわけでもない。あくまでも呑気に日常を送るのである。

有事において、国家からすれば呑気な人々というのは非常に都合がいいのだ。与えられた環境の中で幸せを見つけ、周囲にも安心感を与えてくれる。むしろ熱烈な愛国主義者のほうが国家にとっては迷惑かも知れない。その過剰さが、国家の方針の問題点を露《ろ》呈《てい》させてしまうからだ。

現代でいえば、潔癖《けっぺき》症的にゼロコロナを訴える人が張り切るほどに、常識人は「それって無理だよね」と気が付くだろう。

日本がコロナを根絶しようと思ったら、憲法違反覚悟で法律を改正し、重罰を科す外出禁止令を設けた上で、監視カメラやスマートフォンの位置情報などを総動員し、徹底的な監視国家になるのがいい（無理そうでしょ）。

「コロナ撲滅《ぼくめつ》のために外出禁止違反に厳罰を設けるべきだ」と騒ぐ人より、「Clubhouseって楽しいよね」と微笑む人のほうが、結果的には翼賛体制に手を貸してしまう。皮肉だ。

ただ呑気さというのは、庶民の知恵でもある。すぐ既成事実を受け入れる日本流の悪しき現実主義だと丸山眞男には怒られるかも知れない。だが、日本でコロナ時代を今すぐ終わらせるような画期的なアイディアは思いつかない。だから今日もネットショッピングに精を出す。


（２０２１・５・20）

後世の人には信じられないだろうが、２０２１年５月、東京都は百貨店に対してラグジュアリーブランドの休業を要請した。「人流抑制」の名の下に、恣意的な私権制限が正当化されたのである。戦時下の「ぜいたくは敵だ！」精神は、令和の時代にも生き残っていたわけだ。

「10年後」から振り返ってみる視点を持つ

ふと10年後のことを考える。2031年の人々は、2021年をどのように振り返っているだろうか、と。個人にとっても、社会にとっても、10年は頭を冷やすのに十分な期間だ。たとえば今年は東日本大震災から10年だが、原子力発電や放射性物質の功罪については、だいぶ理解が進んだ。

正確にいえば、にわかで大騒ぎしていた人が興味をなくし、専門家も比較的冷静に議論をしているように見える。少なくとも、当時の『AERA』が煽っていたように、東北地方が「チェルノブイリ」のようになる、といった意見は目にしない。

だが『AERA』を責めようとは思わない。震災直後の日本では、少なくない人が同様の危惧を抱いていたからだ。僕自身、刻一刻と変化する原発の状況と、東京電力による記者会見を、固唾《かたず》を呑《の》んで見守っていた。

後知恵で過去を批判するのはアンフェアである。時代の最中に、その全貌を把握するのは非常に難しい。

それはまさに２０２１年にも当てはまる。新型コロナウィルスの収束が見えない中、オリンピックの開催を巡っては世論が二分している。

もしも２０３１年からタイムトラベルをしてきた人がいれば、開催するかどうかの判断は簡単なはずだ。その頃にはコロナの全貌が見えているだろうからだ（タイムトラベルができるなら、２０１２年あたりに戻って、立候補を断念させて欲しいけれど）。

まだ10年は経過していないが、今になってザハ・ハディドの設計した新国立競技場を見たかったという人がいる。２０１２年にデザインコンペによってザハ・ハディド案が選ばれながら、工期や費用を巡って大激論が起こり、２０１５年に白紙撤回となってしまった。

結局、全てが仕切り直しとなり、隈研吾《くまけんご》さんが設計した新国立競技場が完成した。華美でないが、軽やかさを感じるスタジアムで、個人的には嫌いではない。それでもザハ・ハディドによる近未来的な建物を見たかった気もする。

勝手なものだと思う。２０１５年当時を振り返ると、そもそも僕はオリンピック開催に冷ややかな目を向けていたし、旧国立競技場を改修して使用しなかったことに不満を抱いていた。

このように気ままで私的な感情の集積が「世論」である。

歴史学者の佐藤卓己さんによれば、かつて日本語では「世論」と「輿論《よろん》」を使い分けていたという。情緒的な「世論」に対して、理性的な討議と熟慮を経て形成されるのが「輿論」である（『輿論と世論』）。

沸騰した頭で物事を考えても、浅はかな判断を下してしまうだけだ。だから一つの方法として、「10年後」という視点を導入することを提案したい。それはオリンピック開催のような社会的事象に限らず、人生における選択でも同様だ。10年の時間間隔で後悔のない選択をしたい。

高齢化が進む日本では、「10年後なんて生きているかどうかわからない」という声も聞こえてきそうだけども。

（2021・5・27）

2012年、首相官邸前で脱原発デモが盛り上がっていた。そのちょうど10年後の2022年、政府は原発再稼働や次世代原子炉の開発・建設の方針を発表した。かつてと同じような規模のデモは起こらず、各種世論調査でも原発再稼働に関して「賛成」が「反対」を上回った。

第二章　そんなに頭に血をのぼらせてどうするの

政治とか難しいし
面倒くさいから
もう全部AIが
やればいいんじゃ
ないですか
SFで
ありがちな
展開になる
やつだ……
すべての
社会問題を
解消するために
人類を滅ぼし
ましょう

日本は「快適な自由」の設計に失敗してきた

アメリカは「自由の国」と呼ばれている。

しかしアルコールに関していうと、日本に比べて大いに不自由な国である。多くの州や都市の公共空間で、飲酒が禁止されているのだ。日本でも話題の路上飲みで逮捕ということもあり得る。公園でのお花見も注意が必要だ。

ヨーロッパの多くの国でも似たようなルールがある。寛容な社会として紹介されがちな北欧も、アルコールには厳しい。たとえばノルウェーでは、度数の高いワインやウィスキーは専売所でしか購入ができない。度数の低いビールはスーパーでも買えるが、それも平日は20時、土曜は18時までで日曜は禁止。広告も原則禁止。もちろんコロナは関係ない。百合子以上にアルコールに厳しいのだ。

一口に「自由」や「寛容」と言っても、指し示すものは国や文化によって変わってくる。アメリカでは各州で大麻が解禁されたり、ノルウェーも密造酒には寛容だったり、嗜《し》好《こう》品《ひん》全体に対して厳しいわけではない。

では日本における「自由」とは何なのだろうか。

世界価値観調査によれば、日本では「自分の人生を自由に動かせる」と思っている人の割合が非常に低い。ただ、この結果だけで「日本は不自由の国だ」と決めつけるのは早計である。

調査では、南米や中東の国々でも「人生を自由に動かせる」と思っている人の割合が高い。客観的に考えれば、貧困や犯罪が深刻な南米、宗教の律法が厳格な中東の自由度は低そうだ。

翻《ひるがえ》って、日本ではアルコールに限らず、自由が認められている領域が広い。たとえば、欧州と違い都心にも超高層ビルが建築しやすいし、一軒家を建てる時も屋根の色など厳しく制限されたりしない。

もちろん格差は存在するが、カーストや階級のある社会に比べれば、世代間の移動の閉鎖性は低い。秋田のいちご農家に生まれ、市議会議員を経て、総理大臣になった人物もいる。

コロナ対策にしても、私権の制限に極めて慎重な政府ということが判明した。戒厳令《かいげんれい》を出して外出を禁止したり、自衛隊が街を見回るなんてことはなかった（日本に戒厳令などないが、そうした法律を制定しようという機運もほぼなかった)。非常事態宣言を求めたのは国家の中枢ではなく、世論であり、地方自治体の首長である。

このような「自由の国」で、なぜ人々は「自由」を感じられないのか。

ビデオゲームが「自由度が高い」と評価されることがある。オープンワールドと呼ばれるジャンルだが、もちろんゲームである以上、完全に自由ではない。ゲームをやめて、街に出たほうがよっぽど自由なはずだ。

しかしゲームのような管理され、誘導される「自由」を、人は居心地よく感じるのだろう。その意味で、この国は、人々が快適だと思う適当な「自由」の設計に失敗してきたのかも知れない。自由度が高すぎて何をしていいかわからないクソゲーのようなものだろうか。だがそれは、選択肢が皆無のクソゲーよりずっといい。

(2021・6・3)

かつてプロイセンの参謀総長は「戦争へ諸国を導くのは消極的な政府の願望ではなく、好戦的になった人民の圧力である」と述べていた(アザー・ガット『文明と戦争』)。「戦争へ諸国」を「私権制限へと諸国」や「オリンピック中止へ日本」と置き換えても意味が通じそうである。

制約はときに創造の母となる

最近の映画では、殺人鬼だろうが暴力団員だろうが、きちんとシートベルトを装着する。人間を殺す前後にも、絶対に道路交通法は忘れない。さすがコンプライアンスの時代である。

視聴者はやたら交通法規に厳しいらしく、『スーパーカブ』というアニメが炎上していた。中古のスーパーカブを購入した女子高校生たちの日常を描く作品だ。

問題となったのは、主人公の高校生が同級生を乗せて二人乗りをするシーン。自動二輪免許を取ってから一年未満の二人乗りは違法行為ではないか、というのだ。創作物に違法性を問うていたら、『頭文字D』や『湾岸ミッドナイト』は成立しないわけで、ネット上では擁護《ようご》の声の方が圧倒的多数のようだった。

その擁護意見には、完全に同意なのだが、フィクションで「悪いこと」を扱うにはテクニックがある。

たとえば、それをきちんと「悪いこと」として描写してしまうことだ。青春映画ではよく「授業中のキス」や「不良のタバコを吸う」といったモチーフが登場する。作中の人物はそれが「悪いこと」だと認識している。だから勇気を出して「キス」をしたり「タバコ」を吸うシーンには、青春らしい緊張感が出るわけだ。

実際『スーパーカブ』の原作小説や漫画では、主人公は二人乗りを違法行為だと認識していた。その上で、「今の暮らしは交通反則金くらいで揺らぐものではない」とカブに乗るのだ。アニメ版ではこの箇所が省略されてしまったらしい。

殺人鬼のシートベルトも、描き方によっては登場人物の魅力になり得る。同名の書籍があるくらい有名な脚本のテクニックに「SAVE THE CAT」というものがある。文字通り「猫を助けろ」という意味だ。

映画における主人公は、観客が好感を持ち、応援したくなる人物である必要がある。その象徴が猫を助けるシーンというわけだ。たとえば、銃撃戦で何人も人間を殺した帰り道、捨て猫を拾うだけで主人公は、ちょっと「いい奴」に見えてしまう。もちろん「猫」は比喩。実際の映画では、様々なパターンの「SAVE THE CAT」がある。

殺人鬼のシートベルトは「いい奴」に見せる演出にも使える。逆に、交通法規にもうるさいくらいの正義感ゆえに殺人を犯すキャラクターとして描いてもいいだろう。バイクの二人乗りも、殺人鬼のシートベルトも、作中でエクスキューズがないから観客から突っ込まれてしまうのだ。

タイアップから生まれた名曲が多いように、制約は創造の足掛かりになり得る。考えてみれば、いつの時代も何らかの制限事項はあった。江戸時代に真正面からの幕府批判は御法度だった。コンプライアンスの緩かった昭和時代は、今のようにCGを使った派手な演出はできなかった。各時代のクリエーターは、その制約の中で成果物を生み出してきたわけである。

この文章もあと2行で終える必要があるが、あと100行あってもよりよいエッセイになったかはわからない。

（2021・6・24）

テレビの視聴者は「漢字の読み間違い」や「箸の持ち方」などにも厳しい。絶対的な正しさや間違いが判断しにくい時代において、言葉やマナー、交通法規は「間違い」の基準が比較的明確だからだろう。本当は言葉もマナーも時代と共に変わるのに。

高いところに登りたがるのは誰か

現在、日本で一番の超高層ビルは大阪のあべのハルカスで高さ300メートルだ。2027年に東京駅前に完成予定のトーチタワーで高さ390メートルである。世界一のビル、ドバイのブルジュ・ハリファの828メートルには及ばないが、街を一望するのに十分な高さである。

近年の超高層ビルの特徴は、最上階が展望台として一般に開放されていること。あべのハルカスには「ハルカス300」という天空庭園があるし、トーチタワーも展望施設ができる予定だ。

かつて高さとは権力の象徴だった。しかもそれは、権力者が独占するものだった。

1638年に完成した江戸城本丸は、石垣の高さを加えると天守は58メートルである。現代の20階建てビルに相当する高さだ。しかも標高25メートルの場所に建設されたため、江戸中から見えるランドマークだった。

徳川時代の初期、江戸では裕福な商人は三階櫓《やぐら》を建設していたのだが、次第に幕府は高さ制限を強めていく。１６４９年の三階建て禁止令は幕末の１８６７年まで解除されなかった（大澤昭彦『高層建築物の世界史』）。

つまり権力者だけが街を一望できたわけだ。

かつて評論家の岡田《おかだ》斗《と》司《し》夫《お》さんが唱えていた面白い説がある。日本で初めて夜景を見下ろすことができたのは、織田信長ではないかというのだ。統制品だった油を自由化し、城下町には夜でも火が灯るようになった。それを安土城から見下ろしていたのではないか（『「世界征服」は可能か？』）。

真偽の程はわからないが、今や夜景なんて誰もが拝める。たとえば高さ２０２メートルの、東京都庁の南展望室は10時から20時まで無料で入室可能だ（百合子のお膝元なのでコロナが流行すると休室してしまうけれど）。有料の展望台でも、「庶民では手が届かない」ということはない。

超高層の展望台は、身分制が終焉した象徴である。国で最も高い場所にも、お金さえ払えば誰もが入場可能になった。つまり大人１５００円でハルカス３００に登れるのは、資本主義と民主主義の証なのだ。

では資本主義の成功者が、一メートルでも高い場所に住もうとするかというと、それも違う。都市の富裕層も、一軒家や低層マンションを選ぶことが多い。タワーマンションの高層階の場合、使える資材が限定されてしまい、「本当にいい家」は作れないとも聞く。

そもそも天守は人が住む場所ではなかった。エレベーターがない時代は登るだけでも一苦労だったはずだ。現代の超高層ビルも縦の移動時間がボトルネックとして残る。超高層ビルの並ぶ都会というのは未来予測図の定番だが、使い勝手を考えると高さ1000メートル以上の建物が乱立する社会というのは想像しにくい。

バブル期の日本には東京バベルタワー構想なるものがあった。山手線の内側全てを使って、高さ1万メートルの巨大タワーを作るというのだ。さすがに最上部に展望台を作る予定はなく、建設期間も100年から150年とか。人間無視もここまで来ると清々《すがすが》しい。

（2021・7・1）

2021年にニューヨークにできた「サミット」という人気展望台は、入場料が39ドル。1ドルを145円で計算すると5655円。夕暮れ時には49ドル（7105円）に値上がりする。ニューヨークで展望台は、「誰もが入場可能」とは言えない場所になりつつある。

行き過ぎた正義感はパロディの敵である

絵本『はらぺこあおむし』に小さな騒動が起こった。

発端は『毎日新聞』の風刺漫画である。6月5日朝刊で「はらぺこIOC　食べまくる物語」と題した風刺漫画を掲載した。頭はバッハ会長らIOC幹部、体ははらぺこあおむしという生き物たちが、「放映権」と書かれたリンゴを貪り食っている。

これに激怒したのが『はらぺこあおむし』の日本語版を出版する偕成社《かいせいしゃ》だ。今村正樹社長名義で、「強い違和感」「不適当」「猛省を求めたい」と『毎日新聞』を手厳しく批判した。今村社長曰く「表現の自由、風刺画の重要さを信じるがゆえにこうしたお粗末さを本当に残念に思います」。何もパロディが悪いわけではなく、「お粗末」なのが問題だ。出版社の社長らしく、「表現の自由」の重要性にも目配りした理知的な文章だと思う。

ただ気になったのは、今村社長が『はらぺこあおむし』の「楽しさ」を、「あおむしのどこまでも健康的な食欲と、それに共感する子どもたち自身の『食べたい、成長したい』という欲求にある」と述べている点だ。

『はらぺこあおむし』ってそんな話でしたっけ。

絵本を読み返してみると、主人公はえげつない量を食べている。「りんごひとつ」「なしふたつ」「すももみっつ」「いちごよっつ」「オレンジいつつ」「チョコレートケーキ」「アイスクリーム」「ピクルス」「チーズ」「サラミ」「ぺろぺろキャンディ」「さくらんぼパイ」「ソーセージ」「カップケーキ」「すいか」。どう考えても青虫としては食べ過ぎだ。

案の定、主人公はお腹を壊す。結局「みどりのはっぱ」を食べて食欲が満たされ、蝶になるという物語だ。

果たしてこれが「健康的な食欲」なのか。強欲の主人公が身の程をわきまえて腹痛が治まる話にも読める。その意味では、今の肥大化したＩＯＣを風刺するにも適当な材料なのでは？

もちろん物語の解釈にただ一つの正解を想定すべきではない。ただし亡くなった作者のエリック・カールさんはパロディに寛容だったとも聞く。事実、世界中で多くのパロディ絵本が出版されている。『THE VERY ANGRY PRESIDENT』など政治を風刺した作品も多い。ちなみにトランプ前大統領が反逆罪で逮捕されるという陳腐なオチの絵本だ。

パロディが表現の自由なら、その批判も自由である。その議論には意味がある。しかし過剰に「いいパロディ」と「悪いパロディ」を峻別しようとする態度は、結果的に表現の自由を狭めかねないと危惧もする。

なぜなら国家による表現規制も、「誰が見てもこれは駄目」というものから始まるからだ。思い出すのは松文館《しょうぶんかん》事件である。２００２年、成人漫画『蜜室』がわいせつ図画に当たると、作者らが逮捕された。その裁判で証言に立った漫画家のちばてつやさんは当該作品を「ほめられたものではない」としながらも、「わいせつな表現も許容するおおらかさが必要」と訴えた。

「悪いパロディ」を根絶したいという正義感もまた、腹痛を催させるような、強過ぎる食欲に思えてしまう。

（２０２１・７・８）

自由の規制は「例外」から始まる。もしも２０１９年に政治家が「有事の際、国民の行動を制約する法律を作りましょう」と呼びかけていたら大反対にあったはずだ。だが、いざ未知の感染症が流行すると、これは「例外」と言わんばかりに、積極的に私権制限に賛成する世論が盛り上がった。

まずは冷静になって

この1年ほどで政治に関心を持つ人が増えたと思う。

かつてはニュースも観ていなかった企業人がオリンピック開催に激怒したり、政治的発言を控えてきた芸能人が政権批判を始めたり、といった具合だ。

民主制を採用する国にとっては「いいこと」なのだろう。日本国憲法第12条にあるように、国民の「自由及び権利」は、「国民の不断の努力」によって保持されるものだ。国家を監視する責務が国民にはある。

同時に全ての政治的態度が「いい結果」をもたらすわけではない。残忍なテロ行為も、マイノリティへの差別も、ぞっとするようなヘイトクライムも、ある意味では政治意識の発露である。

テロは極端な例だが、政治は対立を生みやすい。「政治の本質は、友と敵の区別にある」という言葉もあるが、むしろ対立こそが政治だと思われている。

2021年春のテーマは「東京オリンピック開催の是非」であったが、政治に関心を持った人々は、常に何かテーマを発見しては対立を繰り返してきた。この10年でいえば、「原発」「消費増税」「安倍政権」「コロナ対策」の是非あたりだろうか。

政治に関心を持った人は、踏み絵のように「是非」を問われるか、自ら「是非」を発信するようになる。

ある新聞社が主催する集会に参加したことがある。「若者が政治に目覚めて欲しい」と繰り返す人がいたから、「政治に関心を持った若者が、あなたと同じ意見になるとは限りませんよ。あなたが反対する党派になったとしても、きちんとリスペクトを忘れないで下さいね」と返したら、キョトンとされたことを覚えている。

その人にとっては「政治に興味を持つ」とは「思想的に自分と同じ陣営になる」ことと同義だったのだ。

だが政治に興味を持ったからと言って、必ずしも「是非」を判断する必要はないと思う。もちろん意見を持つのは自由だが、僕なんかは「まずは冷静になって」と言いたくなってしまう。

日本のコロナ政策が完璧だとは思わない。例えばＩＴ後進国ぶりに驚く気持ちはわかる。しかしそれは今に始まったことではない。経路依存性という言葉があるが、あらゆる社会は過去に縛られる。「シムシティ」のように、まっさらな土地から世界を作れるわけではない。

言い方を変えれば、ずっと前から日本は「こんなもの」だ。タクシーでは既得権益者（主に日本交通）の猛烈な反対でUberが部分的にしか参入できていないし、Winny事件では天才プログラマーの人生が台無しにされた。今でこそ政府までがデジタル庁の創設に浮かれているが、日本の国家権力は自らデジタルの萌芽を摘んできたのだ。先駆者を畏縮《いしゅく》させるのは日本の得意技である。

もちろん「こんなもの」と諦めるのがいいとは思わない。だけど「こんなもの」に怒り狂っていても仕方がない。是非を決める前に、まず冷静に前提条件を調べてもいいのではないか。まあ、このエッセイのように「結論をはっきりさせろ」と批判されるだろうけどね。

（2021・7・8）

不思議なのは、政治や社会問題に関心を持っているかのように振る舞う人が、次々にそのテーマを変えていくことだ。本当に政治や社会を変えたいなら、もっと戦略的に、そして粘り強く行動するべきなのでは。まあでも、人間ってそんなものですよね。

プロは「バカ」でいい

上智大学教授の中野晃一さんがツイッターで「スポーツしかできないバカって本当に世界的にこんなにゴロゴロいるんだね。医療崩壊目前にしてオリンピックやらんだろ」と発言していた。オリンピックに参加する選手を直接的に批判したものだ。

中野さんの知名度の低さゆえ炎上は小さかったが、絵に描いたような「大学教授」らしい発言である。

仮にスポーツ選手が「スポーツしかできないバカ」なら、大学教授は「研究しかできないバカ」だ。だが、それで構わない。哲学者プラトンがレスラーとしても名を馳せていたように例外も多いが、プロは本業以外「バカ」でもいいのだ。

スポーツ選手は、あくまでもスポーツの能力が買われ、公費が投入されたり、社会から応援を受けている。同様に大学教授も、研究者として有能であるという前提で、税金による恩恵を受けている。上智大学（学院）には2020年度だけで約41億円もの補助金収入があるし、中野さんも科研費という仕組みを使って税金で研究をしていた。

それは何ら咎《とが》められることではない。だが気になるのは、中野さんがスポーツ選手をいとも簡単に「バカ」と断じていることだ。その理屈が通るなら、「大学なんて研究しかできないバカの集まりだ。廃止してしまえ」と言われても仕方がない。

最近、大学教授らが集まって『「自由」の危機』という本を出版した。当然、新型コロナウィルスの流行する中で、事実上の私権制限に対する異議申し立てかと思ったら、全然違った。ほぼ全編にわたって日本学術会議の会員候補の任命拒否や、あいちトリエンナーレについての恨み節が述べられているのだ。

当事者にとって切実な問題であるのは理解できる。しかし、予防的に私権を制限される飲食店がたくさんある中で、自分たちの関心事ばかりを「自由の危機」と言われても困惑してしまう。言論の自由と学問の自由が大事なら、営業の自由も重要なはずだ（憲法学でも経済的自由は軽んじられやすい）。

「そういう本ではない」と言われてしまえばそれまでだが、コロナへの言及は少ない。戦時下の不自由は回顧できるのに、それを現代には重ねない。その想像力の狭さには哀しくなるばかりだ。

自由主義や個人主義には二方面からの批判があり得る。国家主義者からの「個人のわがままを認めすぎるな」と、左派からの「自由で強い個人を前提にした社会観は、自己責任論に結びつきやすい」といったものだ。もともと自由主義に懐疑的ならば、左派が感染症対策と称した強権的な国家の政策に対してあまり批判の声を上げなかったのもわかる。社会保障の延長で私権制限を理解したのかも知れない。

視野狭窄《きょうさく》的に「自由の危機」を訴えるのもいいだろう。しかし分業化と専門化の進んだ現代社会は、前提として各分野へのリスペクトがないと成立しない。自分たちの「自由」だけが特権的に守られるべきで、象牙の塔の外側の「自由」はどうでもいいというなら、その態度こそがまさに「自由の危機」である。

（2021・7・29）

自由論の元祖と見なされる思想家ジョン・スチュワート・ミルによれば、他人の自由に干渉できるのは、自衛に際してだけである。だが近年の日本で「リベラル」という言葉は、任意の「自由」を設定して、それに反する人々を許さない集団主義者という意味を持ちつつある。

真の「ミニマリスト」はどこにいる

「こんまり」こと近藤麻理恵さんが初の著書『人生がときめく片づけの魔法』を出版したのは2010年のことだった。奇しくも、同年の新語・流行語大賞には「断捨離《だんしゃり》」もノミネートされた。その後も片付けブームは続き、2015年の新語・流行語大賞には「ミニマリスト」がノミネートされた。

この10年の片付けブームには、誰もが知る立役者《たてやくしゃ》がいる。何も出版界のフィクサーだとか、そのような意味ではない。スマートフォンの普及だ。

総務省の「通信利用動向調査」によれば、2010年のスマートフォン保有率は9・7％だったが、2012年には49・5％、2015年には72・0％にまで上昇している。

かつては、「動画（テレビ）を観る」「写真を撮る」「音楽を聴く」というように、家電の機能は細分化され、用途ごとに製品を入手する必要があった。

それが今や大抵のことがスマートフォンで済んでしまう。家電に限らず、「応接間に鎮座《ちんざ》したまま一生読まれることのない全集や辞書」など昭和の遺物もスマホは飲み込んでいく。

つまりスマホがなかった時代のミニマリストと、現代のミニマリストは全く生活スタイルが違うはずなのだ。昭和の時代、部屋に何も置いていなかったら、本当に何もできない。もともと「断捨離」がヨガ用語だったのも納得で、瞑想とミニマルな環境は相性がいい。

翻《ひるがえ》って、スマホありのミニマリストは、実は欲望と愛憎に塗《まみ》れている可能性もある。SNSでエゴサーチをして一喜一憂したり、ゲームに尋常ではない額を課金しているかも知れない。「ミニマリスト」のスマホ画面に、無数のアプリが乱雑に並んでいたら、やはり違和感を抱いてしまう。

本当の意味でミニマルな生活を送りたいなら、スマホを含めたインターネットとも距離を置くべきだ。しかし現代社会でネットを手放すことは、中世でいう「出家」ほどのインパクトがあると思う。

何せ仕事にならない。この原稿で考えると、原稿用紙に手書きして、それを郵送することになる。昭和末期はFAXだったかも知れないが、FAXを使うならミニマリストではなくアナクロニストだ。しかも出版社は、手書きの原稿を文書データに直す必要がある。今や大御所の作家にしか許されていない贅沢だ。

交友関係を維持するのも困難だろう。手紙を送りつけても相手が返事をくれるかわからないし、急な集まりに招かれることもまずなくなる。呼んでいなくても友人や知人がひっきりなしに訪れる人気者でないと、その生き方は難しそうだ。

もしかしたら、周囲が放っておかない人気者が最もミニマリストに向いている。いくら物を捨てても、次々に新しい物をもらえるからだ。だから本人は物という形では何ら所有する必要がない。宵越《よいご》しの銭を持たないパリピこそが現代流ミニマリストなのかも知れない。ただそれはそれで、人間界の欲望にどっぷり浸かっている気もする。ミニマリストへの道は険しい。


（2021・8・5）

最近、信号が変わっても横断歩道を渡ろうとしない歩行者を世界中で見かける。スマートフォンの画面に夢中なのだ。確かに現実世界よりも、スマホの向こう側の方が楽しいという場合は多い。「わかるよ」という気持ちで、彼らを見守ってしまう。

ユートピア願望は危険性を孕んでいる

「嫌なことばかりだし、どこかへ逃げたい」。そんな妄想を誰もが一度は抱いたことがあるだろう。実際、昔から人類はユートピアという形で「ここではないどこか」を構想してきた。

かつてユートピアは、この世界のどこかにあると考えられていた。浦島太郎は海の彼方に存在する蓬萊山《ほうらいさん》(現代版では竜宮城)に赴くし、アーサー王は伝説の島アヴァロンで最期を迎えた。トマス・モアの『ユートピア』も、新大陸に存在する三日月形の島が舞台だった。

しかし大航海時代と大探検時代の結果、19世紀までには地球のほぼ全貌が明らかにされてしまう。もはや地上の楽園なんて存在しないことが白日の下に晒されたわけだ(川端香男里『ユートピアの幻想』)。

そこで人類はユートピアの舞台を未来に定めた。たくさんの未来小説が生まれ、次第にそれは進歩思想と結びつき、科学によって未来を夢見るユートピア論が大流行した。

その残滓《ざんし》が今でも一部のおじさんを虜《とりこ》にする「空飛ぶ車」や「リニアモーターカー」である。だが素朴に未来を信じられる時代も終わった。環境汚染や原発事故など科学がもたらした厄災を人類は多数目撃してきた。

この時代、ユートピアはどこにあるのだろう。一つは仮想世界なのかも知れない。実際、オンラインゲームには熱狂的なファンがいるし、よくフィクションの題材にも選ばれる。

しかし近年の映画で描かれる仮想世界には、あまり夢がない。見た目こそ自由だが、コミュニケーション能力や才能が、現実と地続きという設定が多いのだ。

細田守監督の最新作『竜とそばかすの姫』で描かれた仮想世界も「その人の隠された能力を無理やり引っ張り出す」というもの。「能力」がない人、誰かを傷つける「能力」に長けた人はどうしたらいいのだろう。

それでも仮想世界がユートピアに見えるのは、参入と離脱が容易で、何度でもやり直しが効くからだ。「世界共和国」のような統一国家論に「世界が一つしかないのは辛い」という批判がある。いくら平和で完璧な世界であろうと、逃げ場がないのは問題ではないか。

それに比べれば、仮想世界はマシだ。嫌になったらログアウトすればいいし、同時に複数の世界に住んでもいい。

興味深いことに、多くの仮想世界は、現実の政治体制になぞらえると、民主制ではなく独裁制を採用している。選挙や投票は実施されず、何か不満があっても問い合わせくらいしかできない。何なら行動も逐一監視され、一方的に追放されることもある。運営者が絶対的な権限を持つ世界だ。

考えてみれば、トマス・モアをはじめ「ユートピア」を管理社会として描く作品は少なくない。「どこかへ逃げたい」という発想の根っこには責任の放棄がある。管理されることは責任を免れる一つの方法だ。ユートピアが独裁制と相性がいいのは不思議ではない。責任を厳しく問う昨今の社会は、反動で独裁を求めてしまわないか心配だ。

（2021・8・12、19）

現実世界だろうがメタバースだろうが、重要なのは参入と離脱の自由が確保されているという点だと思う。だが国家への参入と離脱だけは困難だ。パーマネントトラベラー（永遠の旅人）のように定住することなく合法的に納税を逃れる人々でさえ、多くの場合、国籍は保有している。

一人旅は寂しくない

一人旅は寂しく、孤独だ。一般的にはそう思われがちである。しかし沢木耕太郎さんは「一人旅だとさびしくならない」という。なぜなら一人旅には他人との関与が不可欠だから。見知らぬ誰かに道を聞いたり、ホテルのフロントで盛り上がったり、出会いがある(『新潮』2021年8月号)。

僕自身の経験を振り返ってもそうだ。ロンドンで留学時代の友人に出くわしたり、ローマのタクシー運転手に口説かれたり、ヘルシンキで社会運動家の女性に「アジト」へ案内されたり、事件は一人旅の方が起きやすい気がする。

見知った人との旅行は、どうしても世界が身内で完結してしまいがちである。ただ「背景」が変わるだけなのだ。アテネで友達の愚痴に頷き、紅海で仕事の武勇伝を聞き流し、クラクフで日本政治について議論したことを懐かしく思い出す。

そもそも人間はなかなか孤独にはなれない。物理的に一人になることは簡単だが、スマートフォンを開けばSNSでの誹謗中傷、LINEでの噂話など、そこには他者が溢れている。たとえスマホを切っても、頭の中を空っぽにするのは至難の業だ。意地悪な同僚や、むかつく知人の顔が浮かんでしまうという人も多いだろう。

また、何かに没頭してしまえば、孤独を意識することもなくなる。夢中で文章を書きつけたり、写真撮影をしたりする時、寂しさを感じる余裕もないはずだ。

一方で、目の前に他者がいる時に孤独感を抱くのは簡単である。

会話が途切れて無言になったり、話がまるで合わなかったりするだけで、「二人なのに悲しい」「みんなでいるのに寂しい」と思ってしまう。一人の時よりも、孤独を抱く基準が下がっているのだろう。

寂しさは相対的でもある。世界中が寂しいなら我慢できても、一人だけ寂しいのは耐えられない。心配なのは、コロナが収束して社会が元通りになっていく過程だ。大規模イベントやパーティーが当たり前に開催されるようになった時、より寂しさを意識する人が増えるのではないか。「私だけが一人だ」と絶望する人がでてくるのではないか。

その一つの解決策が、旅の思考なのかも知れない。

岡田悠さんの『0メートルの旅』という抜群に面白い旅行記がある。創造的な旅人の前では、どこでも旅先になり得ることを証明した本だ。たとえば岡田さんは「一週間、江戸時代の古地図だけで生活してみよう」と思い立つ。スマホから現代の地図を削除、「大江戸今昔めぐり」というアプリをインストールする。古地図にある道だけを進み、遠回りを繰り返す中で、ある愛しい出会いが生まれた。

岡田さんは言う。「いつもの視界に、新しい景色を創った瞬間」、それは旅になるのではないか。その意味で、コロナ時代もまた旅のようなものなのだろう。世界は姿を変えたが、やがて日常が戻る。それを「家に帰る」と思うか「新しい旅先に着く」と考えるかは各自が解釈すればいい。その時、もしも寂しかったら、また新しい旅に出ればいい。

（2021・8・26）

世界の国々は数年をかけて、コロナという時代を旅していたのかも知れない。ほとんどの国が日常への帰港を果たす中、東アジアの一部の国は、未だに漂流を続けている。そうこうしている間に故郷がボロボロになってしまっても知らないけど。

暴走する正義感が行きつく先は

河村たかし名古屋市長の謝罪が「カノッサの屈辱《くつじょく》」だと話題になった。発端は、市長がオリンピック選手の金メダルをかじったこと。選手の所属するトヨタ自動車からも抗議があり、本社へ向かったが幹部との面会は叶わなかった。

実際のカノッサの屈辱は1077年のイタリアで起こった事件。「教皇と皇帝のどっちが偉いんだ」という聖職叙任権争いの末、教皇が皇帝に破門を宣告。皇帝がカノッサ城に赴《おもむ》き、雪降る城門の前で3日間も裸足で赦《ゆる》しを請《こ》うた。結果、破門は解かれる。

この故事が元となり、英語やドイツ語には「カノッサへ行く」という慣用句が存在し、不本意で強制的な懺悔《ざんげ》や服従を意味する。

確かにトヨタを教皇、市長を皇帝に見立てれば「カノッサの屈辱」という比喩も理解できる。だがカノッサの屈辱には別の解釈もある。皇帝がキリスト教の教義を上手に利用したというのだ。聖書の教え通りに、改悛《かいしゅん》した者には赦しが与えられなくてはならない。教会の権威のために、皇帝を赦さざるを得ないのだ。

実際、皇帝の作戦は成功し、破門が解かれた後で反対勢力を殲滅《せんめつ》した。ダンテ研究者の原基晶《はらもとあき》さんが監修する漫画『チェーザレ』（7巻）の中で、皇帝は「破門したくば何度でもするがよい！　その都度奴の前で跪《ひざまず》いてやるわっ」と言う始末だ。その意味で河村市長の謝罪は、1000年近く前のカノッサの屈辱には遠く及ばない。

同時に思うのは、何か事件が起こった時、批判の仕方や、収束の方法はこの1000年で成熟したのかということだ。

カノッサの屈辱で、教皇は教義を守り、改悛を受け入れた。しかし現代のSNSでは、何か問題を起こした人に対して、「何が何でも許さない」という態度の人を見かける。ともすれば、非常に危険な考え方だと思う。なぜなら、それは「問題を起こした人には何をしても許される」という思い込みに繋がりかねないからだ。

実際、オリンピック開会式を巡る小山田圭吾さんの騒動の時には、殺害予告を含めた汚い言葉がネット上に溢れかえっていた。しかも被害の当事者が何を思っているかという視点は希薄だった。

「何が何でも許さない」という正義感の行き着く先は、究極的には殺人である。歴史が教えるとおり、正義が暴走した末に人が殺された事件は、枚挙《まいきょ》に遑《いとま》がない。今でも仇討ち殺人はあるし、ＳＮＳ上の誹謗中傷に耐えられずに自殺してしまった著名人もいる。

もちろん「何が何でも許さない」と思うこと自体は自由だ。だけど、正義感が行き過ぎると、今度は自分自身が攻撃の対象になりかねない。

当たり前だが、どんなに高い理想の実現のためだとしても、法律違反になるような行為は許されない。著名かどうかは関係がない。然るべき手続きを踏めば、ネットでの匿名発言であっても個人は特定できる。

人気ドラマのタイトルのように、次に「許さない」と糾弾されるのは「あなたの番」かも知れない。


（２０２１・９・２）

２０２２年７月８日に起こった安倍晋三元総理の暗殺事件では、容疑者の元には支援金や大量の差し入れがあったという。裁判が始まり、動機の解明が進むにつれて、容疑者に共感する人が増える可能性もある。立ち止まって考えてみたい。テロに意味を与えてもいいのかと。

ＡＩは人間を献身的に働かせる

連日のようにＡＩのすごさを伝えるニュースが飛び込んでくる。最近では長文要約ＡＩ「イライザ・ダイジェスト」が話題になった。ニュースや小説のような長文テキストをＡＩが3行に要約してくれるのだ。

前回の原稿（後日談参照）で試してみたら「ノルウェーに「未来の図書館」と呼ばれるプロジェクトがある。樹木を植林し、１００年後に成長した木を使って本を印刷するというプロジェクト。執筆者は計画開始の２０１４年から２１１４年まで毎年１名ずつ選ばれている」。何の問題もない。

他にも、作曲家や、アナウンサーのようなＡＩも登場し、いつかは人間の仕事がなくなるかもと錯覚しそうになる。世を騒がすＡＩの多くは、「頭脳労働」と思われてきた仕事ができると謳《うた》う。しかし介護や保育など、いわゆるエッセンシャルワークがＡＩに代替される気配は全くない。

当然ながら、ＡＩという「頭」だけでは介護士の代わりにならない。歩行や排泄の介助をするには「体」がいる。しかし完全に人間の代わりになるロボットの実用化は、技術的に当面先だ。

もしもＡＩの発展が順調に進むのなら、「みんなの憧れる仕事ばかりがＡＩに取って代わられる未来」が訪れる。ミュージシャン、アナウンサー、弁護士や会計士といった人気職業ではどんどんＡＩが活躍するようになり、エッセンシャルワーカーだけは人間ばかりという時代が来る可能性がある。

10年ほど前、中国で「蟻族《ありぞく》」という言葉が流行語になった。いわゆる中国版の高学歴ワーキングプアである。高い知能を持ちながら、大都市郊外の「群居村」でルームシェアをして暮らす様子が「蟻」に喩えられたのだ（廉思編『蟻族』）。

蟻族の不幸はミスマッチにあった。彼らは自分のことを大卒のエリートと思っている。だから大量の求人がある建設業などの肉体労働には就きたくない。だが知的労働の募集は限られる。結局、日銭を稼ぐため不安定な非正規雇用を繰り返すしかない。そして、自分は社会に評価されていないという鬱屈《うっくつ》ばかりが溜まっていく。創造的な仕事をこなすＡＩが普及するほど、このミスマッチは世界的に深刻になっていくだろう。

狡猾なのはUber Eats方式だ。配達員がゲームのように食事を届ける仕組みが構築されている。指定件数を配達すると特別報酬がもらえたり、「日《ひ》跨《また》ぎクエスト」「悪天候クエスト」のようなボーナス制度もある。

配達員という仕事は新しくも何ともない。昭和にも「出前の兄ちゃん」が活躍していた。そのような古くからある仕事を、Uber Eatsというブランドと、ゲーム性のある勤労体系で生まれ変わらせてみせたのだ。

近未来、介護士や保育士も「ケアギバー」と呼ばれ、介助はクエスト制になり、要介護者の評価によって日々の報酬が変動するようになるかも知れない。人間をより効率的に、献身的に働かせるための計算にはＡＩが役立つのだろう。客観的にはディストピアに思えるが、主観的にはユートピアなのだろうか。

（2021・9・16）

最近は画像生成ＡＩがブームだ。キーワードを入力するだけで、一瞬のうちに美麗なイラストが誕生するのだ。アメリカのアートコンテストでは、「Midjourney」が生成した絵がデジタルアーツ部門で優勝するという事件まで起こった。ちなみにＡＩによる要約が的確だったので、本文中にある「前回の原稿」は本書への収録を見送った。

失言よりも糾弾すべきことがあるはず

舌禍《ぜっか》事件が相次いでいる。あまりにも炎上が多すぎて、森喜朗元総理の「わきまえない女」騒動など、もはや遠い昔の出来事のようだ。

作家の佐藤愛子さんが『九十八歳。戦いやまず日は暮れず』で、他人が「思った」ことを安易に糾弾することの怖さを説いていた。1941年の真珠湾攻撃を「騙《だま》し討《う》ちやないのん」と疑問を抱いた19歳の佐藤さん。電車の中でその話をすると、友人に止められた。「叱られるよ。憲兵に引っぱられるよ」と。

98歳の佐藤さんは、時代と共に正義が変わることを知っている。だから森元総理が実感を洩らしただけで、女性蔑視と大批判を浴びたことに「釈然としない」という感想を抱く。

確かにジェンダー平等の時代だ。表立って女性差別を肯定する人はほぼいない。たとえば企業のホームページに行けば「女性活躍」「多様性推進」の言葉が躍る。国にも女性活躍担当大臣なんてポストまである。

だが日本の上場企業における女性役員比率はたった6・2%である（2020年7月時点）。森発言を叩いたメディアにも、女性役員はほとんどいない。衆議院議員に占める女性の割合も9・9%に留まる。この数字を街角で見せたら「もっと女性役員を増やすべきだ」という声が多数だろうし、識者なら海外の事例を出しながら日本のジェンダー平等の現状を嘆くはずだ。

だが、女性役員の少なさを糾弾しての不買運動や、メディアを巻き込んだ大バッシングは起こっていない。少なくとも「わきまえて」発言ほどには問題視されていない。

つまり現在の日本の社会規範によると、女性差別発言は駄目だが、実際に女性を排除する行為は黙認される。だから企業は対外的に「女性活躍を推進します」などと言っておけばいい。お飾りでも社外取締役あたりに女性を何人か入れるだけで「女性に優しい企業」面ができてしまうのだ。

逆じゃないかと思う。言葉はどこまでいっても言葉だ。もちろん誰かを傷つけたり、恐怖させる場合もある。だから殺害予告などは脅迫罪に問われ得る。だが殺害予告より殺人が遥かに重罪であるように、誰かの失言よりも、実際に存在する不平等を問題視すべきではないのか。

つくづく「コミュニケーション能力」の時代なのだと感じる。ニューヨーク州のクオモ前知事は演説の上手さで世界中を欺《あざむ》いたわけだし、菅総理は実績があるにもかかわらず、あまりにもプレゼンが下手で短命政権に終わった。

大企業が、表層的な「コミュニケーション能力」はあるものの、実務がこなせない新入社員を雇って困る分には構わない。だが全ての政治家に過度な「コミュニケーション能力」を求める必要はあるのか。

時代の流れだからとジェンダー平等発言をするのは、憲兵に引っぱられるから思ったことを言わないのと大きく変わらない。誰かの失言を糾弾する手間をかけるなら、企業と政治にクオータ制を求めた方が建設的だ。

（２０２１・９・２３）

１９９０年代以降、北欧をさきがけに「ダディ・クオータ」と呼ばれる父親への半強制的な育児休暇が導入された。育児に参加する父親が増えたばかりではなく、「父性」の意味も変わったと評価される。制度から社会の価値観を変える方が、失言狩りよりも建設的だと思う。

「未来人の人権」は守らなくていいのか

スイスは女性参政権の導入が遅れた国の一つだ。国政では1971年、地方を含めた全土で実現したのは何と1990年のことだった。わずか三十数年前まで日本もびっくりの男女不平等の国だったのである。

なぜここまで遅れたのか。興味深いことに「民主制が徹底しすぎていたから」というのが大きな理由らしい。何事も政府が一方的に決めるのではなく住民の意見が大事にされるスイス。女性参政権は住民投票でことごとく反対に遭ってきたのだ。

ここに民主制の一つの限界が見て取れる。つまり既に「民」と認められた人にとって有利な決定ばかりがなされてしまうのだ。古くから続く直接民主制の好例として取り上げられるランツゲマインデ（青空議会）も、長らく女性を排することで成立していた。

実は国家レベルの男女平等は、「上からの強制」で進むことが多い。たとえばルワンダは女性議員の活躍する国として有名だが、クオータ制の果たした役割は大きい。法律によって国会議員の一定数を女性に割り当ててきたのだ。

今でこそ女子徴兵まで実施する男女平等国家ノルウェーも、かつては「専業主婦の国」と呼ばれるくらい性別役割分業が進んでいた。

女性の政治参加が一気に進んだのは、やはりクオータ制によってだ。１９７０年代に各政党が選挙候補者のリストを男女同数にした。さらに２００８年からは、上場企業の取締役会では、女性の割合を４割以上にしなければならない（結果的に、企業の業績悪化と非上場化が進んだという分析もある）。

民主制は人類が生み出した叡智《えいち》の一つだと思うが、「民」認定されていない人に対して冷淡だ。ほとんどの国は自国人と外国人に待遇格差を設けている。国家に言わせれば、必要なら帰化しろという理屈なのかも知れない。

だが性別を変えることは、国籍取得よりも遥かに困難だ。その意味で、たとえ「上からの強制」でも男女平等は正当化されるだろう。

同様の理屈で言えば、「未来の国民」への差別はどう考えるべきか。日本で選挙権を持つのは18歳以上である。17歳以下と、まだ生まれていない国民は、選挙で一票を投じることができない。

スイスの男たちが女性参政権を認めなかったように、現代を生きる国民は未来の国民に冷淡になりがちだ。財政赤字、環境破壊など数十年、百年単位で未来に持ち越される問題は多い。その重要な決定を、18歳以上の国民だけに任せることは、いかに正当化されるのか。「未来人の人権」は守らなくていいのか。

たとえば放射性廃棄物が生物に無害になるには約10万年かかるというが、未来人に「ここに捨ててもいいかい」などと聞くことはできない。1941年の日本人から「日米開戦してもいいかい」と聞かれないのと同じだ。過去に対しては「止めてよ」と言えないのに、責任だけは背負わされる。

未来の皆さん、そっちはどうですか。僕らに怒ってないといいけれど。

(2021・9・30)

往々にして未来予測は間違う。僕が子どもの頃に読んだ図鑑では、2030年には夏休みの家族旅行で宇宙ホテルに滞在する様子が描かれていた。一方でその「2030年」には、インターネットが普及している気配がない。

第三章　余所者には余所者の幸せがある

まさか
令和の時代に
「非国民！」
みたいな反応を
見るとは思わな
かったけど
そんな状況
だからこそ
戦時下の人々に
共感できることも
多そうだよね
通報
自粛せよ
社会の敵
通報
ヒノマル

中吊り広告は不滅です

「ネットニュースの見出しを一瞥《いちべつ》しただけで、記事を読んだ気になってはいけません」。そのうち道徳の教科書にでも書かれそうな誡《いまし》めだが、SNS上には見出しを読んだだけの評論が溢れている。

つい情報量の多いインターネット社会の弊害だと嘆きたくなってしまうが、同じような現象は昔から存在していた。その代表格が中吊り広告文化である。

週刊誌の中吊りには刺激的な言葉が並ぶ。ネットニュースよりは上品かも知れないが、紙という媒体の特性上、クリックして詳細な情報を得るなんてことはできない。満員電車での通勤中、中吊り広告の見出しだけを眺め、会社に着いて根も葉もない噂を同僚と語る、なんてことは昭和の日常だったのではないか。

見出しとは要約と誇張だ。建前としては要約ということになっているが、人目を引くには主張を際立たせる必要がある。結果的に誇張に近い作業が行われ、時にはそれが「見出し詐欺」と呼ばれる。

今でこそ、見出しが「詐欺」かどうかを検証するのは容易になった。たとえばマスコミが恣意的に政治家の発言を切り取ったところで、多くの場合、動画や音声が残されている。もし要約が悪意に満ちていたら、マスコミが糾弾される時代だ。

その意味で、昔の方がマスコミの力は強かったと言える。１９５０年のことだ。大蔵大臣だった池田勇人は、参院の予算委員会の質疑で「所得に応じて、所得の少い人は麦を多く食う、所得の多い人は米を食うというような、経済の原則に副ったほうへ持って行きたい」と述べた。

これだけでは何のことかわからないと思うので、文脈を説明する。当時、米は国家の統制下にあった。国が農家から米を買い上げ、国民に配給するのだ。補助金が投入されているので、米と麦はほぼ同じ値段だった。本来、これは異常なことで、米が安くなりすぎていた。だから来たるべき米の自由化のために、米に対する補助金を撤廃して、価格を実態に近付けておきたい。それが池田の考えだった。

そんなややこしい事情を無視して、野党やメディアは池田の発言を「貧乏人は麦を食え」と要約、大批判を繰り広げた。実際に食べるものに苦労していた人も多かった時代、池田は大炎上したわけだ。

その後も池田は、中小企業者が「5人や10人破産せられることはやむを得ない」などと失言、さすがに学んだのかジャーナリズムを味方に付けるべく研究を続けた。結果、安保体制批判に対しては意図的に見出しになるような言葉を連発して、存在感を高めた。今でいう「ネットニュースになりやすい人」みたいなイメージか。

『週刊新潮』は、約60年にわたり続けてきた電車の中吊り広告を9月末で終了するという。名残を惜しみたくもなるが、中吊りが育んできた扇情《せんじょう》的でミーハーな精神は今もインターネットの世界で生き続けている。中吊り文化はこれからも不滅なのだ（と、いい話っぽくまとめてみた）。

（2021・10・7）

しばらくの間、中吊り広告そのものは消えることがなさそうだ。パンデミックを経ても、労働者から電車通勤という習慣が消えることはなかった。人間の行動するあらゆる場所には広告がある。中吊り広告も、あと1世紀くらいは健在なのかも知れない。

嫌な経験こそ記憶にとどめる

１９９９年、音楽バンドのスピッツが初のベストアルバムをリリースした。２００万枚以上を売り上げ、大ヒットを記録したのだが、発売はメンバーの意向を無視した、レコード会社の決定によるものだった。

その不和を象徴するように、タイトルには「RECYCLE（リサイクル）」という言葉が冠されている。既発曲を再利用して商売しようとする大人の都合で出されたアルバムです、というメッセージのようだ。実際、今でもこのアルバムは非公式扱いになっている。

当時、中学生だった僕は、スピッツの意向よりも、「リサイクル」という言葉の使い方に興味を持った。

リサイクルという用語自体は、空き缶など「廃棄物の再利用」という意味で、かなり古くから使われてきた。特に環境に対する意識が高まる１９７０年代には、既に一般的な用語になっていた。英語でも同じ文脈で使用されることが多いが、アイディアやジョークの使い回しという意味もある。

人生の様々な局面で「リサイクル」を意識すれば、効率よく生きていくことができるのではないか。中学生の頃に抱いた直感は今でも正しかったと思っている。

誰もが不可逆的に、一度の人生しか送ることができない。全ての人にとって、時間の流れはほとんど平等と言っていい（厳密に言えば、心理状態で主観時間は大きく変化するし、相対性理論が主張するように重力の小さい場所では時間の流れは速くなる）。

だが同じ経験をしても、それを「楽しかった」や「つまらなかった」と、その瞬間の感情で済ませてしまう人もいれば、後から何度も反芻《はんすう》して何かに役立てようとする人もいる。

僕の場合は、文章を書く仕事をするようになってから、人生のコスパは劇的によくなった。このエッセイにしても、中学生の頃、スピッツのCDに抱いた考えを、約20年の時を超えてリサイクルしている。

感情も再利用することができる。小説を書くのは、リサイクルできそうな感情を記憶の中から探す作業と言ってもいい。友人の俳優も、絶望的な出来事に遭遇すると、その表情と感情を覚えておいて、演技の糧《かて》にすると言っていた。

日々をただのフローとして捉えるのか、ストックされていく資産のように考えるのかで、人生は大きく変わる。その瞬間は、悲しみに暮れたり、退屈だと思った出来事でさえ、後から価値を持ってくるかも知れない。

しかし何がいつ、どのようにリサイクルできるか、先んじて知ることは難しい。記憶を消すのは難しいのだから、嫌な経験をした時ほど、来たるべきリサイクルのために、詳細を記憶しておいたほうがいい。誰かを説得したり、反論したりする材料や話の種になるかも知れない。

ただし、人生に無駄なことは何もない、という話ではない。反芻する価値のない出来事もあるだろう。たとえばデーブ・スペクターさんからは、毎日のようにひどい駄洒落まじりのＬＩＮＥが届くが、読んだ瞬間から忘れるようにしている。

（２０２１・10・14）

出版業界も「リサイクル」に溢れている。雑誌掲載作品を単行本や新書にまとめて「リサイクル」、それを文庫にして「リサイクル」。さらに全集や完全版として「リサイクル」。著者にとっては「エコ」と言えるが、地球にとってどうなのかは知らない。

「あだ名」は意外と恐ろしい

「ライバルや嫌いな人にはダサいあだ名をつけろ」

こんなビジネステクニックがあるという。

我々は、親しみの印としてニックネームで呼び合う。中島を「なかじ」、関駿介を「セキシュン」など、元の名前を活かすのが定番だろうが、そこにさりげない意図を潜ませることもできる。

たとえば「店長」。一応は「長」なのだが、あまり重厚感はない。「師匠」や「博士」は、何かに詳しそうではあるが、社会性が足りない印象も与える。「閣下《かっか》」は、悪者らしさがにじみ出ているものの、語感は権力者然としている。「ジャイアン」は乱暴者であるが、頼りにはなりそう。

要は、既に世の中に流布している偏見を使えば、褒めているふりをしながら印象操作ができるのだ。何も「ブタゴリラ」や「ハゲ」など露骨な悪口である必要はない。「くん」付けか「さん」付けかだけでも、人のイメージは大きく変わるものだ。

たとえば出世競争でライバルに頼りない印象を与えたいなら、可愛らしいニックネームをつければいい。「まあにゃ」は恋人ならいいが、上司っぽくない。一方、権力の独占を嫌う組織なら、強そうな呼び名を与えるのも一案。「将軍様」など独裁者っぽくていい。人間とは不思議なもので、そのあだ名に影響を受けて、本当に性格が変わってしまうこともある。

昔から、名前は呪詛に用いられてきた。何と、名前を書くだけで誰かを殺せる「デスノート」が、中世に実在したという。

15世紀、興福寺の僧侶たちは、年貢を横領した武士に対して、「名を籠《こ》める」という呪詛を掛けた。罪状と名前、日付を書いた紙を仏前に捧げ、その者に厄災が降りかかることを祈った。すると、武士の支配する村で悪病が流行したのだという（清水克行『室町は今日もハードボイルド』）。

もちろん、それが「名を籠めた」せいかはわからない。現代人からすれば、因果関係を立証しようがない「偶然」ということになる。だが中世には、この呪いを本気で恐れる人も多かった。

興味深いのは、「改名してしまう」という裏技を編み出す武将がいたことだ。確かにデスノートの設定上、名前を変えてしまえば、その効果は怪しくなりそうである。

現代でも15歳以上であれば、家庭裁判所の判断を経て、戸籍上の名前を変えられる可能性がある。キラキラネームなど「奇妙な名」を理由に申し立てができるが、「通称として永年使用した」場合も認められやすい。つまり、誰かに与えられた名前ではなく、自分で勝手に名乗った通称が、法律上の名前になり得るのだ。

ただしニックネームを変えるのは、時にこの法的な手続きよりも難しい。何せ呼び名は、雰囲気や暗黙の合意で決まっていく。急に改名宣言をしてもうまくいくかわからない。最近の小学校が「あだ名禁止令」を出す理由もわかる。

その意味で、「あだ名をつける」というのは現代に残された禁断の呪詛であるのかも知れない。

（2021・10・28）

有吉弘行さんの再ブレイクのきっかけは、あだ名の命名センスだった。キャイ〜ンのウド鈴木さんは「バカの押し売り」、嵐の大野智さんは「気の毒坊や」、峰竜太さんは「アッコのお座布団」といった具合だ。やはり命名という行為は、隠れた権力掌握の方法なのだろう。

「専門家」の「政治家」化に注意しよう

1914年、サラエボで起こったテロ事件から、第一次世界大戦は勃発したとされる。4年にわたる戦いでは、数十もの国が関与し、約1600万人が命を落とした。凄惨《せいさん》な戦争だった。

だが戦争終結から100年以上が経った今でも、なぜ戦争が起こり、ここまでの規模になったかは、定説をみない。実は、当事者自身が戦争の目的を理解していなかった可能性もある。

ある研究者は、大戦に関わった人々を「夢遊病者」と呼ぶ。「彼らは用心深かったが何も見ようとせず、夢に取り憑かれて」いたというのだ（クリストファー・クラーク『夢遊病者たち』）。

夢遊病のせいで大戦が起こるなんてたまったものではない。「夢遊病」説に対しては、国家の責任を免責するものだという批判もある。

しかし2020年から2021年にかけて起こった騒動も、後世からは「夢遊病」に見えるのかも知れない。特に夏の東京オリンピック開催を巡る騒動は異様だった。

「幽霊病床」問題の当事者でもある尾身茂さんは、『中央公論』(11月号)でオリンピックを振り返り「観客を入れても、私は、会場内で感染爆発が起きるとは思っていませんでした」と述べている。それにもかかわらず「観客を入れたら」「国民に求めていることと矛盾したメッセージを送ることにな」ると、無観客開催を「良い判断」だったと評価する。

また8月には、パラリンピックの開会式にあたり来日するIOCバッハ会長を批判、「挨拶が必要ならば、なぜオンラインでできないのか」とオフライン(衆院厚生労働委員会)で述べていた。

この二つの発言からは、尾身さんが「感染症専門家の皮を被った政治家」ということがよくわかると思う。「専門家」としては有観客開催や、たった一人の外国人の来日で感染爆発が起きるわけがないことを当然、理解していた。

しかし「国民」に与える影響を考慮して発言していたなら、それはもう「政治家」である。少なくとも、努めて客観的に科学データを示すことが期待される「専門家」らしからぬ態度だ。

第一次世界大戦の時も、事実としてサラエボ事件が起こったのは間違いないが、それを恐怖の物語に仕立て上げたのは「政治家」たちである。どんなに客観的に真実らしく見える出来事も、それを誇張したり隠蔽したりするのは、いつの時代も「政治家」だ。

その時、「政治家」が真に悪辣《あくらつ》ならいい。自分の言動が及ぼす影響力を把握した上で、いかに自国の利益を確保するのか、どう社会を立て直すのかが見えていて、そのために物語を使うのは構わない。最悪なのは、近視眼的な視点しか持たず、何の責任も取らない中途半端な「政治家」である。

本当に夢遊病の場合、これといった特効薬はない。基本的には子どもの病気なので、成長と共に治癒していく。日本を席巻していた夢遊病は完治したのだろうか。それとも冬あたりに再発するのだろうか。いい加減、大人になる時期は来ていると思う。

（２０２１・11・４）

尾身茂さんは２０１２年から未知の感染症の流行も見据えた新型インフルエンザ等対策有識者会議の会長を務めてきた。さらに２０１４年からは地域医療機能推進機構という50以上の病院を束ねる独立行政法人の理事長でもあった。「会議室」にも「現場」にも精通していたのだから、インスタ以外にもできることはたくさんあったはずだ。

書店には生き延びて欲しい

この社会で最も万人に開かれた場所はどこだろう。

たとえば公園。基本的に入場にお金はかからないし、全国には10万以上の都市公園がある。日本の可住地域1㎢に1つの計算だ。

ただし、「昼間から公園にいる人」には奇異の目が向けられることもある。「家族」や「ママと子ども」「カップル」なら何の問題もないが、「中年男性」が一人でいると不審がられるかも知れない。雨風はしのげないし、長時間の滞在は難しい。公民館や文化ホール、警察署あたりは公共施設のはずだが、目的なしに訪れにくい。

そう考えると、公園よりも、本にまつわる場所のほうが開放的と言える。

原則として誰の入場も拒まない図書館は、老若男女、誰がいても違和感がない。しかも朝から晩までいてもいいわけだから、リタイアした高齢者から、時間を持て余した十代まで、様々な属性の人を目にする。

2007年に千葉県で英会話講師のイギリス人女性が殺害された事件があった。犯人の男は2年7ヶ月の逃亡中、公共図書館のパソコンで逃亡する島や島の植生について調べていたという（市橋達也『逮捕されるまで』）。図書館は、犯罪者さえも受け入れる懐の深い場所なのだ。

僕も海外で時間が空くと、よく図書館を訪れていた。世界の図書館だけを集めた写真集があるくらい、個性に富んでいる。ぱっと思い浮かぶところで言うと、ノルウェーの小さな港町ボーデの公共図書館の雰囲気が好きだった。

書店も、商業施設でありながら、異様に開かれた場所だと思う。初めてどこかの街を訪れたとする。約束まで時間がある。その間どうやって暇を潰すか。喫茶店はオーナーの個性が強すぎるかも知れない。服屋は趣味が良すぎるか、悪すぎる可能性がある。知らない商店街の洋品店に入るのには、かなりの勇気が必要だ。

そんな時は書店の出番である。「いらっしゃいませ。今日はどんな本をお探しでしょうか」とか「その本、本当にお客様にお似合いです！」といった接客を受けることもない。数分だけの滞在で、何も買わずに出て行っても、それほど気まずくない。その意味で、日本における書店というのは、極めて公共性の高い場所と言えるだろう。

しかし書店の減少が止まらない。２００1年に全国で2万軒以上あった書店は、２0

２０年には実店舗数が１万軒を割り込んだという。

地方に行くと、コンビニが実質的に書店の役割を果たしている場合もある。財政破綻した北海道の夕張に行った時、コンビニの雑誌コーナーが充実していて、その中でもクロスワードやイラストロジックがやけにたくさん並んでいた。

願わくば、何らかの形で書店に生き延びて欲しい。街から一軒の書店が消えることは、一つの公園がなくなることに近いと思う。確かに公園がなくても人間は暮らしていけるが、その街はひどく味気なく、精彩に欠ける。自分の本を売ってもらおうと書店に媚びを売っているわけではない。


（２０２１・11・11）

日本の図書館ではマンガの蔵書が少ないが、フランスやベルギーでは積極的に「バンド・デシネ」を所蔵しているのだという。「バンド・デシネ」はフランス語圏におけるマンガのこと。現地では、それを読むことも立派な読書と見なされる。

有識者はなぜ頼りにならなかったのか

映画『シン・ゴジラ』では、学者の無能ぶりが喜劇的に描かれていた。謎の水生生物（ゴジラ）が東京湾に出現し、生物学の有識者が首相官邸に呼ばれる。しかし緊急会議において、彼らは「現物を調査しないと何も言えません」「実証もなく憶測で判断してはもはや生物学とは言えん」と、何も断言せずに、のらりくらりとかわすだけだ。

しかし現実に起こったことと比べれば、彼らの態度はマシだったのかも知れない。学者としての領分を守り、軽々しく危機を煽ったりはしなかったからだ。

新型コロナウィルスを巡る騒動では、政府の有識者やテレビに出演した専門家たちが、大した実証もなく憶測で物事を語り、世の中を大いに混乱させた。

ただし「有識者」や「専門家」だけを責めても仕方がない。何よりも問題だったのは、結果的に彼らの好き勝手を許してしまった政治である。

歴史に学ぶならば、もっと方法はあったはずだ。たとえばルーズベルト大統領のブレーントラストなどは、もっと顧みられてもよかったのかも知れない。

フランクリン・ルーズベルトは、アメリカ史上、唯一4選された大統領である。世界恐慌と大戦を乗り切った「偉大な大統領」として記憶されている。だが興味深いことに、彼が政治家を志したのはただの偶然からだった。元々は実現したい政策など何もなかった。お坊ちゃまで、赤いオープンカーを使った選挙活動で人気を博した。

それゆえ柔軟な政治家になれたのかも知れないが、重要な役割を果たしたのはブレーントラストと呼ばれるアドバイザー組織だ。そこでは、様々な政策課題について、政治家や学者に意見を戦わさせ、あらゆる見解を提出させた。その上でルーズベルトが最終的な決断を下したわけである（佐藤千登勢『フランクリン・ローズヴェルト』）。

日本政府の有識者会議は、意見を戦わさせ、複数の見解を出させるという機能が弱い。あらかじめ何となくの結論が決まっていて、有識者はお墨付きを与えるだけ、という会議が多い。もしくは、事実上の雑談に終始し、何の成果も生み出さない会議も珍しくない。僕自身、何度も政府系の会議に出てきたが、いつも徒労感ばかりが残る。例外はあるが、箔を付けたい中途半端な起業家や学者、半ば引退している偉いおじいちゃんの演説の場に成り果てている。

平時なら構わないが、有事でそれは困る。特にパンデミックという未曾有の事態において、本来なら政府に呼ばれる有識者が一枚岩ではおかしいのだ。複数の分野から学者を呼び、多様な激論をさせるべきだった。そうすれば、仮説を提示する学者と、決断して実行する政治家という役割分担もクリアになっただろう。

これからの時代が、平穏無事に過ぎていくとは思えない。正しい答えは事後的にしかわからないが、複数の仮説を提示することなら有事の最中にもできる。議論が紛糾する有識者会議が増えますように。（2021・11・18）

新型コロナウィルス関連の有識者会議の議事録を読むと、必ずしも専門家が「科学的」な議論ばかりしていたわけではないことがわかる。「コールセンターで働いている人は、結構バンドをやっている人が多いのです」「名古屋が同調圧力が大変強い」「家族から今は危ないから繁華街に行くな、と言われれば、みんな控える」といった具合だ。

隈研吾さんは格好よかった

2年ほど前のことだ。中国の成都《せいと》へ行った帰り、飛行機の隣の席に長身の男性が乗り込んできた。ほとんど手ぶらで、黒ずくめの服は全体的にくたびれている。スーツのビジネスマンとは違う、独特の雰囲気だ。

現地の人かと思っていたら、いきなり柄谷行人《からたにこうじん》の新刊を読み始めた。見かけによらずインテリらしい。しばらくすると白ワインを一気に飲み干し、すぐに爆睡してしまった。その旅慣れた雰囲気に、大人のバックパッカーなのだろうかとか、想像が巡る。

成田空港に着いて、搭乗橋を歩いていると、ふと気が付いた。どうも、その後ろ姿に見覚えがあるのだ。向こうも、こちらを気にしているように思えた。もしかしてと思って、残間里江子さんに連絡すると、その男性が隈研吾さんだということがわかった。

世界的建築家である。最近では、新国立競技場や角川武蔵野ミュージアムを設計したことで有名だが、本当に身一つでどこにでも行ってしまう人らしい。

その隈研吾さんに誘われて、北海道の東川町へ行ってきた。隈さんたちが始めた「地球ＯＳ書き換えプロジェクト」のイベントに呼ばれたのだ。国内の日帰りなので、隈さんは本当に手ぶらだった。相変わらず全身黒ずくめで、怪しい雰囲気を漂わせている。

東川は面白い町だった。旭川空港から車で10分という便利な場所にあるのだが、国道・鉄道・上水道がない、というのが特徴。地下水として染みこんだ大雪山の雪解け水を利用するので、上水道が必要ないのだ。

興味深いことに人口が増え続けている。１９９４年には７０００人を切っていたのが、２０２１年には８４００人を超えた。たった「１４００人増」ではある。しかし同じ北海道の夕張市を見てみると、１９９４年に約1万９０００人だった人口は、２０２１年10月には７１２０人まで減少し、東川町と逆転してしまった。

一見してスタイリッシュな町だった。１９８５年から「写真の町」を掲げていて、昔から「映《ば》え」を意識してきた。景観法を活用し、住居を含めて、町並みは整然としている。週末には、旭川市からカフェ巡りに来る観光客も多いという。

この「整然」というのが難しい。よくあるのは有名建築家に箱物だけ作ってもらって、うまく活用できない事例。先日、妹島和世《せじまかずよ》さんらが設計した金沢21世紀美術館へ行ったら、通路に資材は置きっぱなし、散らかった事務スペースが外から丸見えという有様だった。

東川町で印象的だったのは、役場の職員が能動的だったことだ。「お金を出すだけで後は知らない」という駄目な公務員とは一線を画している。隈さんにも響くものがあったらしく、隈研吾事務所のサテライトオフィスを建設中だという。

帰りの飛行機、隈さんは手ぶらで羽田に着くと、別のシンポジウムへ向かっていった。そして翌日は午前中に大阪、午後に香川の父母《ちちぶ》ヶ浜《はま》へ行くのだという。黒ずくめの身なりが、タフさの象徴のようで、格好よく思えてきた。


（2021・11・25）

この原稿を『週刊新潮』に掲載した時、イラストを描いてくれているナカムラさんが、北海道民らしい適切な突っ込みをしてくれた。東川町は夏と冬の気温差が大きく、「住むには厳しそうな気候」だというのだ。確かに観測史上最高気温は37・0度、最低気温はマイナス29・3度で、その差は66・3度である。

キャンセルカルチャーは危ない

この夏、中国ドラマファンに激震が走った。「山河《さんが》令《れい》」で人気を博した俳優の張哲瀚《チャンジャーハン》さんが大炎上、活動休止に追い込まれたのだ。

発端は2019年の写真。彼が日本の乃木神社で行われた結婚式に出席していたことが、ネットユーザーによって発掘された。立て続けに、2018年の桜を背景にしたピース写真が、靖國神社で撮影されたものだと特定された。

直ちに謝罪文を発表したものの人民日報や新華通訊社が批判、コカ・コーラなど外資を含む27社ものスポンサー企業との契約も打ち切られた。中国公演業協会も張さんに対するボイコットを要求、所属事務所の営業免許も剝奪《はくだつ》されたという。

乃木神社や靖國神社で写真を撮っただけで芸能界追放だ。中国は恐ろしい国だと思いたくなってしまう。しかし似た現象は世界中で起こっている。

それがキャンセルカルチャーだ。著名人の言動を告発し、社会の表舞台から消し去ろうとする社会運動のことである。

日本では東京オリンピックにまつわる一連の騒動が記憶に新しい。過去の差別発言や、いじめ騒動が発端となり、クリエーターが辞任に追い込まれたのだ。

このように欧米圏や日本では、「人種差別」や「セクハラ」が理由で糾弾されることが多いが、中国では「親日」がその理由になり得るようだ。

キャンセルカルチャーは、気に食わない人を排除したり、ライバルを蹴落とす格好の手段となる。過去の言動を掘り返し、それを大げさに問題だと騒ぎ立てればいいのだ。

もちろん「人種差別」や「セクハラ」はよくない。だが時代や状況で差別やハラスメントの基準は変わる。法律の場合、遡及効《そきゅうこう》を認めないのが大原則だ。新しい法律が成立前に遡《さかのぼ》って適用されることはない。しかしキャンセルカルチャーの下では、新しい「正義」で過去の行いが裁かれてしまう。

キャンセルカルチャーの怖さは、張哲瀚さんの一件に集約されている。どう考えても本人に悪意がなく、その時点では誰も問題と思わなかった行為までもが、遡《さかのぼ》って糾弾されたのだ。

日本の感覚からすれば「靖國神社で写真を撮ったくらいでそこまでするのか」と思ってしまう。だが日本で起こっているキャンセルカルチャーも、少し前の基準からすれば

「やりすぎだ」と思われることも多い。

時代と共に価値観が変わるのは当然だ。過去に対し正義を掲げる人の横顔に、気に入らない他者を排除したいという醜い欲望が覗いていることはないだろうか。誰かを消し去るための手段として、都合よくポリティカルコレクトネス（政治的正しさ）が持ち出されてはいないだろうか。

だからどうしても、安易に誰かの「キャンセル」を求める人のことを信じられない。そして、嬉々として「人種差別」や「セクハラ」を理由に他者を追い落とそうとしている人が、そのうち「非国民」や「愛国無罪」という言葉で誰かを詰《なじ》っていても特段、驚きはしない。

（２０２１・12・16）

２０１２年、習近平が総書記になった頃には、中国が民主化していくという楽観論さえ語られた。それが今では「新しい文化大革命」とも評される反米・反日のトレンドが盛り上がっている。近年、中国の若者の間では、国潮《グオチャオ》といって、中国製品を使うことこそがクールと見なされる。

文化は模倣によって発展し、洗練される

「大明成化年製《だいみんせいかねんせい》」。明とは1368年から1644年にかけて存在した中国の王朝、成化とはその元号の一つである。今風に言えば「メイド・イン・チャイナ」だ。江戸時代に佐賀（肥前）で作られた焼き物には、「大明成化年製」と銘款《めいかん》されたものがある。

銘とは、器に記された商標や作者名のこと。どうして日本製のプロダクトが、わざわざ「メイド・イン・チャイナ」を名乗ったのか。その興味深い背景を佐賀県の九州陶磁《とうじ》文化館の鈴田由紀夫館長に教えてもらった。

佐賀は、有田焼、伊万里焼、唐津焼など、磁器や陶器が世界的に有名である。現代に連なる陶磁器の歴史は約400年前に始まった。

豊臣秀吉の朝鮮出兵以降、半島から数多くの陶工が渡来、帰化した。定説では、李参《りさん》平《ぺい》が有田町の泉山から白磁鉱を発見、有田焼の歴史が始まったとされる。

九州陶磁文化館の柴田夫妻コレクションという展示室では、1600年代から幕末まで、有田磁器の歴史を一気に見ることができた。通常の蒐集家《しゅうしゅうか》と違って、柴田夫妻は各

時代の「欲しくない器」も集めたのである。

面白いのは、磁器が一直線に進化したわけではないこと。黎明期《れいめいき》にあたる1600年代の作品は、勢いがあるものの、洗練されていないようにも見える。それが数十年かけてレベルを高めていくのがわかる。

1640年代には中国の技術を取り入れて、日本で初めての色絵磁器が出現し、窯場《かまば》の統廃合により生産量も増大した。あの有名な初代柿右衛門《かきえもん》が赤絵の技法を開発したのもこの頃だ。

元禄文化が花開く1700年頃になると、器は一気に派手になる。当時の世相が、今でいうバブルに近いことがわかる。少し前のグッチやドルガバのような派手なプロダクトが作られるようになるのだ。

だがしばらくすると、質素倹約を旨とする享保の改革の影響を受けたのか、明らかに磁器が地味になっていく。そして「手抜き」も散見される。職人の腕が悪くても、それなりに見える意匠が目立つのだ。

有田磁器は、ヨーロッパでも大流行した。特に中国が明王朝から清王朝に代わり、内乱が起こっていた17世紀後半は、中国磁器の代替品として注目された。その時に使われた銘款が「大明成化年製」なのである。中国を模して作った器に、「メイド・イン・チャイナ」と銘款したわけだ。

もっとも今のような権利意識が存在しない時代だ。有田磁器も、ばっちりパクられている。ヨーロッパが白磁の生産に成功したのは、日本から遅れること約1世紀、1708年のことだ。現在のマイセンの元となる窯だが、初期の頃は、柿右衛門の写しが人気作品だった。文化とは模倣によって発展し、洗練されていくのだろう。

朝鮮半島の技術を取り入れ、「メイド・イン・チャイナ」と銘款された、日本の白磁を使ったプロダクトが、ヨーロッパで流行する。コロナで海外渡航の自由が制限される時代だからこそ余計、佐賀の片隅で世界を感じてしまった。

（2021・12・23）

グローバル化は急に始まったものではない。世界中の神話に類似点が見られるように、人類史は移動と交易と共にあった。ちなみに九州陶磁文化館へは『佐賀新聞』社長の中尾清一郎さんが案内してくれた。インテリだがひねくれていて面白い。

松本市長の「覚悟」を讃《たた》える

一枚の写真がある。日付は2015年12月22日。今から約6年前のことである。少し弱気な顔をした中年男性を囲むように、8人で撮った記念写真。場所は新宿の歌舞伎町だった。背景には下品な看板が並んでいる。

その日は、その男性の送別会であり、壮行会でもあった。彼の名前は、臥雲義尚《がうんよしなお》。NHKで記者や解説委員として活躍していたのだが、50歳を過ぎて退職を決意、故郷の長野県松本市で市長選に立候補した。

あの日の熱気を思い出す。汚い中華料理屋の個室だった。メンバーは「NEWS WEB 24」という番組を共にした仲間たち。2012年に始まった番組で、当時としては画期的なことに、視聴者のツイッターを全面的に活用していた。

政治家への思いを語る臥雲さんの話をひとしきり聞いたところで、同席していた瀧本《たきもと》哲史《てつふみ》さんが「臥雲さん、このままでは絶対に落ちます」とぴしゃりと断言した。曰く「戦略もないし、覚悟もない」。

瀧本さんの予言は当たった。2016年3月の松本市長選で、現職の72歳（当時）に敗れた。しかし臥雲さんはあきらめなかった。2020年の選挙にも立候補、市長に就任したのである。

その臥雲さんの名前を偶然、見かけた。鈴木亘さんの『医療崩壊 真犯人は誰だ』という本で、新型コロナウィルスの流行下で医療崩壊を食い止めた事例として紹介されていたのだ。

日本は世界一の病床大国であり、新型コロナ感染者が桁違いに少ないにもかかわらず、医療崩壊が騒がれた。緊急事態宣言が多発され、経済的に大きなダメージを蒙《こうむ》った。だが日本の中でも創意工夫がうまくいった自治体がある。

その一つが松本市なのだという。松本市には、もともと行政と医療機関が参加する、災害医療のための協議会があった。しかし「まとめ役」が不在で、うまく活用されていなかった。

臥雲市長は、コロナ流行に際して、協議会を招集した上で、市立病院の病床を大幅に増やすことを決断した。民間病院は、元々市立病院に入院していた通常の患者を受け入れるという形で協力した。要は、市長のリーダーシップのもと、行政と医療機関の連携がきちんと取れ、適切な役割分担が可能になったらしい。

この「松本モデル」には、参考にすべき点が多い。行政と各医療機関が顔の見える形で協力し、リーダーが決断と調整をすることで、医療崩壊は避け得るのだ。

現場での治療に関わっていないのにひたすらSNSで危機を煽る医者、可能性だけで人々を脅し続ける学者など、コロナ時代には様々な「専門家」が登場した。だが実際に人々を救ったのは、現場であり、彼らの創意工夫だった。

思えば、歌舞伎町の中華料理屋で、瀧本さんは臥雲さんに対して、熱心に具体的なアドバイスもしていた。その言葉がどれくらい役立ったのかはわからない。だけど臥雲さんもきっと、あの夜のことは覚えていると思う。次も不祥事以外で、彼の名前を目にしたい。


（2021・12・30、2022・1・6）

「松本モデル」に関しては、松本市立病院の視点、相澤病院の視点でも書籍や報告が出ているが、そこで市長の活躍はあまり話題になっていない。どれが事実に近いのかはわからないが、どちらにせよ、平時から「顔の見える関係」を構築しておくことは重要なのだろう。

不幸の意味を探し過ぎていないか

「宗教みたい」という形容詞がある。現代でいえば、オンラインサロンがその代表格だろう。同じ価値観を信じる人が集まり、教祖（起業家やタレント）、教団（サロン）のために、平気でただ働きやお布施をする。

しかし、古くから存在する宗教と違って、殉教者の話は聞いたことがない。西野《にしの》亮廣《あきひろ》さんも中田《なかた》敦彦《あつひこ》さんも大人気だが、メンバーがサロンのために命を投げ出し、モニュメントが作られた、なんて事例はないはずだ。幸いなことである。

その意味で、近現代において最も成功した宗教の代替物は国民国家だろう。ベネディクト・アンダーソンの言葉を借りれば、20世紀の「大戦の異常さは、人々が類例のない規模で殺し合ったということよりも、途方もない数の人々がみずからの命を投げ出そうとしたということにある」（『定本 想像の共同体』）。

19世紀、20世紀の世界では、世界中の国民が、国家のために命を捧げ、途方もない数の犠牲者を出した。その記録が、各国の一等地に建てられている無名戦士の碑や墓だ。

国民国家は、人々に生きる意味を与えてくれた。国を愛し、国のために尽くし、戦争が起きたときには命を投げ出すことが理想とされた。教育や出版という仕組みを活用しながら、国民国家は世界を席巻した。

宗教は古来、悩める人々に意味を与えてくれた。人間は生きていると、様々な不幸に遭遇する。最愛の人が事故に遭ったり、命を落とした時に、残された者はどうやって受け入れればいいのか。

ドラマ「地獄が呼んでいる」で描かれたように、ほとんどの不幸には意味や理由がない。しかし人々は、その意味のなさに耐えられない。ネガティブであっても、起こってしまった不幸に意味を探そうとする。そこで宗教が役立った。

さて、20世紀と違って、少なくとも日本では国家のために命を捧げるという人々は減っている。コロナの影響で世界の往来が制限されたからといって、誰もが熱烈な愛国心に目覚めたわけではない。

21世紀の人々は、何の殉教者になるのだろう。戦後日本では、国家の代わりに「会社教」が大流行し、「過労死」という悲惨な殉教まで発生していたが、その信者は減りつつある。

自己責任原則が徹底した「自分教」の世界になれば、安楽死が一般的になるのかも知れない。もしくは「健康教」が繁栄するのだろうか。事実、最近では医療がどんどん人間の不幸を説明するようになっている。「その人はメタボリックシンドロームが原因で体調を崩し、死にました」「随分前からガンを発症していたのに健康診断に来ていませんでしたね」といった具合だ。

日本ではコロナの流行に際して、感染者を減らすことに血眼になるあまり、経済的な困窮への援助や、精神的なケアは後回しにされ、とにかくステイホームが呼びかけられた。結果、自殺という選択をした人も多い。現代人は、国家のためでも、会社のためでもなく、健康のために命を落とすのだ。「健康教」の時代は続く。

（2022・1・13）

宗教の説く「天国」や「極楽」の価値が下がっているように思う。寺院に行くと、極楽浄土の描かれた絵が飾ってあるが、どうも楽しそうではない。スマホどころか、テーマパークや映画館もなさそうだ。世界各国の現世がさらに楽しくなれば、殉教も減るのだろうか。

大切なのは自分にとっての幸せを理解すること

「何もない日常こそ幸福だ」と言う人がいる。

確かに、毎日のように何かが起こっている人からすればそうだろう。殺人事件に巻き込まれたり、余命いくばくもないと宣告されることに比べれば、何も起こらない日常は素晴らしい。

だが本当につまらない毎日を過ごしている人は、日常から抜け出したくて仕方がないはずだ。僕自身、十代の頃は、平穏な日常を持て余していた。「何かしたい」とは思いながら、ただ時間だけが過ぎていく日々。文章を書いたり、絵を描いたりしても、それが何になるかもわからない。不幸でもなければ幸福も感じられない毎日。

今から思えば、贅沢な時間だったとは思う。いくらでも本を読めたし、何百時間だってゲームができた。だけどあくまでも「今から思えば」。たまたまこうして現在、文章を書くことを仕事の一つにしているから、「あの頃が無駄ではなかった」と思えるけれど、それは偶然に過ぎない。

秋元康さんは、一行日記を書くことを勧める。とにかく何でもいいから日記をつけてみたらという提案だ。「中尾さんに京都で会った」とか『神曲』を読んだ」とか本当に一行で構わない。

だけど続けているうちに、何も書くことのない日がでてくるかも知れない。一行日記のミソはここにある。本当だったら何もないまま終わるはずの日でも、日記をつけるために映画を観たり、本を読んだりしようと思えるのだ。

結果、振り返った時に、365日が「何か」の日になる。十代の頃の自分が一行日記を知っていたら、もう少し有意義な時間を過ごせただろうと思う。

有意義すぎて、国際金融機関に勤めるグローバルエリートになったものの、働き詰めで今頃バーンアウトしていた可能性もある。

ここが難しい。時として、成功と幸福は一致しない。華やかな芸能人は、街を歩いていて、気になるカフェを見つけても、人目を気にして入店をあきらめるかも知れない。大富豪の家に生まれた人は、一生を資産管理に費やすかも知れない。

誰からも幸せに見える人が、本当に幸せを感じているかはわからない。統計的にも、主観的な幸福と、客観的な幸福は一致しない。年収1億円の人が、年収100万円の人の１００倍幸せとは限らない。豊かな先進国でも、自殺を選ぶ人は多い。

重要なのは、自分にとって何が幸福なのかを理解することだと思う。「幸せは、お金ではなく心だ」といった話ではない。何が大切なのかは、人によって違うのである。だから幸せの基準が曖昧な限り、どんな生き方を選んでも、きっと後悔が残ってしまう。何が幸福なのかをわかっていない人生は、ゴールの見えない迷路を進むようなものだ。一方で、何が大切かを理解している人は、どんな場所にいても、人生の分岐点が現れるたびに、幸福への近道を選ぶことができる。

幸福は、自分にとって何が幸せかを考え、定義するところから始まる。

（２０２２・１・20）

つくづく人間とは無い物ねだりをする生き物だと思う。完全な偏見だが、東京で「東京」らしい、これ見よがしにお洒落な生活をしている人には埼玉出身者が多い（たとえば佐藤健）。都会が当たり前の東京出身者よりも、地方出身者の方が過剰に「東京」らしさを求めてしまうのだろう。

冬が危ないのは今に始まったことではない

冬には人が死ぬ。

もちろん人間は365日いつ死んでもおかしくないのだが、統計的には冬場の死者が圧倒的に多い。病気による死者は1月をピークに冬に集中している。さらに家庭内の事故も増える。寒暖差があるため、ヒートショックの危険性が高まり、風呂場で転倒したり、溺死する人が増加するのだ。

2019年の人口動態統計によれば、1月は死亡者が14万人を超えているのに対して、6月は約10万人にとどまる。この傾向は今に始まったことではない。戦前の「日本帝國人口動態統計」を見ても、呼吸器系の病気など死者数は冬場に集中する。

というか、人類が共同体で定住を始めてから、冬は危険だった。感染症が流行しやすい上に、食料不足で飢餓《きが》に陥る可能性もあった。ヒートテックも床暖房もない時代、寒さそのものも大きなリスクだっただろう。戦国時代の埋葬記録でも、毎年冬から春にかけて死者の増加が確認されている（黒田基樹『百姓から見た戦国大名』）。

つまり人間にとって、寒い冬は危険なのである。

もしもこの原稿を3年前に書いていたら、一笑に付されていただろう。「そんなことは誰でも知っている」「あたりまえポエムか」と馬鹿にされたと思う。わざわざ勿体ぶって「今年は人類にとって初めての西暦2022年です」と宣言するようなものである。

だが、その当たり前の事実を、日本の人々は忘れつつある。2021年から2022年にかけての年末年始は、前年に引き続き、帰省の見直しが呼びかけられた。理由はコロナである。

理屈としてはわかる。親戚の集まりなど、若い世代が高齢者と会することで、ウィルスが広がりかねない。高齢者ほど重症化や死亡のリスクが高いから、日常的に会っていない人との面会はできれば控えて欲しい、というわけだ。

だが帰省のリスクは、コロナの流行前から存在した。たとえばインフルエンザの流行は他の病気同様に1月にピークを迎えるが、帰省の影響もあったはずだ。都会の活動的な若者が無症状で感染し、田舎に帰った時にウィルスをうつすという現象は、何もコロナで始まったわけではない。

人類が共同体を営んで生活をする以上、少なくとも当面の間、感染症を根絶することは不可能だ。そして気候を変えるテクノロジーでも開発しない限り、冬場は危険であり続けるだろう（その意味で、地球温暖化の議論をする時は、気候が温暖になる利点にも目を向けないとフェアではない）。

もし帰省の自粛を呼びかけるならば、去年や今年だけではなく、永劫訴え続けるべきだ。危険な1月ではなく、年度の替わる4月あたりに帰省をしてもらった方が、感染拡大の危険性はぐっと減るのではないか。

そのためには、初詣や紅白歌合戦を4月にずらしたり、日本社会の風習をがらっと作り替える必要がある。簡単にはいかないと思うが、帰省の自粛を呼びかけた人は、責任をもってその大仕事に取り組んで欲しい。（2022・1・27）

地球温暖化の影響は地域によって違う。恩恵を受けるのは北欧だ。北極域の氷が溶けることによって、危険なスエズ運河に代わる新たな物流網が生まれようとしている。グリーンランドでは農業や漁業が活性化するだろう。北極圏での石油や天然ガスの採掘も本格化するかも知れない。

「隠れた人事権」を持つのは誰か

今年、37歳になった。同世代が「おじさん」になったと感じるのは、嬉しそうに人事の話をし始めた時だ。

ある三十代の学者と会議で一緒になった時、彼は人事のことばかりを気にしていた。自分が関係する官庁の人事、政治家の人事、所属する大学の人事。結局、専門家としての話はほとんど披露せず、人事だけを気にして彼は帰っていった。

組織人としては正しい態度なのかも知れない。学者とはいえ、研究費の獲得や、しかるべきポジションを得るためには、人事情報に目を配る必要があるのだろう。

サラリーマンなり公務員なり大学教授なり、組織の一員として働く人は、必然的に人事のレースに参加させられる。「自分は関係ない」と思えればいいが、次の上司が誰になるのか、同僚の昇進のタイミングはいつかなど、人事に全く無関心でいるのは難しい。

トップ目線で考えた時、人心掌握の基本は人事ということになる。人間を動かすには、お金で釣ったり、価値観で洗脳をしたりと様々あるが、中でも人事は有効な方法だ。誰も閑職には飛ばされたくないし、重要な役職を任されればいい気分になる。

友達関係でも、「隠れた人事権」が重要だったりする。もちろん会社組織と違って体系立った人事制度があるわけではないが、「もっとあの人に声をかけよう」とか「あの人は呼ばないでおこう」とか、コミュニティに誰を参加させ、排除するかには緩やかな緊張関係がある。

誰の言葉が影響力を持っているのかを観察していると面白い。正面から断言しなくても、「隠れた人事権」を発揮している人物がいるはずだ。仕事の場でも、「隠れた人事権」の影響力は無視できない。役職としては高いわけではないのに、空気を作ったり、議論を誘導するのに長けた人物が一定数いる。

最も人事を気にするのは政治家だろう。紀元前3世紀に書かれた『韓非子《かんぴし》』でも、君主がどのように臣下をコントロールすべきかが熱心に説明されている。

しかしコロナ時代には奇妙な現象が起きていた。柳沢高志さんの『孤独の宰相』の記述を信じるならば、総理大臣よりも新型コロナウイルス感染症対策分科会の「専門家」が権力を持ってしまった時期があるようだ。

2021年夏、菅義偉総理（当時）は、オリンピックの有観客での開催にこだわっていた。しかし専門家は緊急事態宣言を出すことにこだわり、無観客開催を勧めてきた。菅総理は「絶対に押し切れない」とこぼしていたそうだ（『孤独の宰相』を読むと、菅さんが馬鹿ばかりの中で孤軍奮闘していたことがわかる）。

権力は腐敗しやすいという。元々は善意だったはずの専門家も、総理大臣以上の発言権を有したことに、味を占めたりしていないだろうか。もちろん当人たちは否定するだろう。だが権力者を目指す人が後を絶たないように、その立場でしか抱けない独特の快楽がある。特定の人物が権力を独占し続けないために役立つのもまた、人事権である。

（2022・2・3）

『孤独の宰相』によれば、本当に菅義偉さんはパフォーマンスが苦手だったらしい。演説の練習をしていた時、秘書官が「拳を握るのはどうでしょうか」と提案した。菅さんは数秒沈黙した後で、一度は拳を握るものの「やっぱり、恥ずかしいな」と顔を赤らめる。この人間らしさがうまく伝わればよかったのにと思う。ちなみに本文中に登場する「学者」とは落合陽一のこと。

その「フェイク」には価値がある

Ｎｅｔｆｌｉｘで配信の始まった「新聞記者」というドラマを観ていたら、就活中の大学生が、新聞を読むことを誇りながら、「ネットなんかフェイクニュースばっかでリテラシー低いよ、マジ」と話していた。彼の頭の悪さを表現するための台詞なのだろうが、よくこんな馬鹿なフレーズを思いつくものだと笑ってしまった。

解説するまでもなく、インターネット上で閲覧できる多くのニュースは、新聞やテレビなどからの転載である。もちろん明らかな「フェイク」もあるが、それは旧来メディアも同じことだ。

たとえば、見出しの最後に「？」や「か？」をつけて、「フェイク」に近い情報で世論を誘導しようとするのは新聞の得意技である。また記者が安易にリークに飛びついて、政局や社内政治に利用されることも度々だ。

実は、「フェイク」に関しては、ＧＡＦＡ（グーグル、アップル、フェイスブック、アマゾン）系のプラットフォームの方がよほど厳しい言論統制を実施している。たとえば漫画家の小林よしのりさんは、コロナワクチンの危険性を過激に訴えてきた。雑誌『SPA!』では毎週、小林さんの原稿が掲載され、『コロナ論』として単行本化もされている。

しかしYouTube（グーグルの子会社）では、小林さんのチャンネルはアカウント停止措置を受けている。小林さんのようなワクチン危険論が「フェイク」認定され、規制を受けたわけだ。

僕自身は、ウォルター・アイザックソンの『コード・ブレーカー』を読んで、mRNAワクチン開発物語に感銘を受け、さっさと接種を済ませたタイプだが、小林さんのような意見を一律に排除すべきだとは思わない。ワクチンに限らず、あらゆる「トゥルース」と「フェイク」が、簡単に峻別《しゅんべつ》できるとは限らないからだ。

これからの数十年、GAFAの影響力は増していくだろう。彼らは私企業なので、恣意的な基準で情報を統制することが可能だ。アメリカの大統領選挙では、フェイスブックのアルゴリズムが、投票結果に影響を与えるのではないかと議論になった。GAFAが本気を出せば、人々の嗜好に影響を与えることなど容易いだろう。

だから一周回って、紙の新聞やテレビなど、旧来メディアが重要となる。それはフェイクニュースに惑わされないためではない。むしろ逆で、GAFAに「フェイク」と断罪されてしまうような情報を守るためだ。

フェイクニュースの溢れる世界よりも、フェイクのない世界の方が怖い。戦時下の日本や北朝鮮を想像してみればいい。時代ごとに正解は変わる。常識は覆《くつがえ》る。GAFAだけが「トゥルース」を牛耳る世界よりも、たとえゴシップだらけでも、テレビや雑誌が残る世界のほうが、言論環境は豊かだ。

「新聞記者」に出てきた大学生には、こんな風に伝えてあげたい。

「ネットって、フェイクニュースがどんどん削除されるんだよ。それがどんなに危険かわかるかな。君さ、紙の新聞に書いてあることなら全て信じるわけ？　それはそれでリテラシー低いよ、マジ」

（2022・2・10）

2022年9月に誕生した「日本ファクトチェックセンター」が炎上気味だ。まず「テレビ・新聞は対象外」という方針に対して突っ込みが入った。そもそも「ファクト」か「フェイク」かを見極めるのが困難な問題は多い。ワクチンにしても、本当の効果や副反応は長期的な視点で考える必要がある。

不安が社会の統制を強化する

乱痴気騒《らんちきさわ》ぎという言葉がある。人生で一度だけ、文字通りの乱痴気騒ぎを目撃したことがある。しかも場所はノルウェーだった。

留学時に住んでいた学生寮には大きな湖と森が隣接していた。普段は静かで穏やかな、市民の憩いの場である。だが5月のある夜、やたら湖が騒がしかった。何かと思って覗きに行くと、赤いつなぎを着た十代が、乱痴気騒ぎをしていたのだ。

100人ほどの若者が、湖のほとりで大音量の音楽にのって踊ったり、お酒を飲んだり、花火を上げたり、火を焚いたり、ド派手なパーティーをしていた。もちろん暗がりで抱き合う人も多い。

驚いた。なぜなら、ノルウェーは日本以上に大人しい人が多い社会だと思っていたから。大学の授業でも、席は後ろから埋まっていた。

ノルウェーの友人に聞くと、「ルス（Ｒｕｓ）」という高校の卒業祝いだという。すごいのは、このお祭りが1ヶ月も続くこと。派手なグループは、運転手付きのバスを借り切ってノルウェー全土を渡り歩き、行く先々でパーティーをする。

ユニフォームは帽子につなぎ。変な決まりがあって、毎年「ルス委員会」が発表する課題をクリアすると、報酬として帽子の紐にアイテムをまとうことができる。「12時間で24本のビールを飲む」「警察官にキスをする」「1日で10人とセックスをする」など、アルコールやセックスにまつわるミッションが多い。

当然、社会問題になっている。急性アルコール中毒や交通事故による死亡者も多い。２０１８年にも道路庁のトップが「裸で橋を渡ったり、交差点でセックスをしないで」と声明を出していた。

しかしノルウェー社会は、おおむねルスに寛容である。なぜなら、かつて自分たちも通った道だから。ルスには１００年以上の歴史がある。男女に徴兵制を敷くノルウェーでは、ルスの後に、軍隊に行く若者も多い。ルスは通過儀礼として社会に受け入れられているのだ。

文化人類学の説くところによれば、社会的な地位の変更には通過儀礼が伴う。バヌアツのバンジージャンプが有名だが、日本でも先史時代には、抜歯とイレズミという通過儀礼があった。

興味深いことに、危機の時代には「痛い」通過儀礼が広まるらしい。戦争が起こったり、寒冷化による社会不安が起こると、痛みの強い抜歯やイレズミが流行したのだという（設楽博己『縄文vs.弥生』）。

災害や不安が社会統制の強化を促すのは、現代でも同じかも知れない。新型コロナウイルスの流行に際して、「強い国家」を求める人が多かった。平成バブルの崩壊後も、ナショナリズムが流行した。先が見えない時代では、権力に従属し、構成員として一体感を抱くことで、安心を得るのだろう。

やたら緊急事態宣言や私権制限を求め、他人の自由を許せなかった人は、縄文時代だったら抜歯やイレズミの徹底を訴えていたのかも知れない。後世から見れば不合理な出来事が、人類史から消えることはないのだろう。

（2022・2・17）

抜歯やイレズミが強制されない時代に生まれてよかったと思う。現代日本でもタトゥーやピアス、スプリットタンなど痛みを伴う風俗は生き残っているが、全て個人の趣味嗜好とされている。

余所者だと思って生きていく

日本は衛生観念の高い国と言われる。しかし去年の終わり頃、東北新幹線に乗った時、立て続けにこんな経験をした。

夕方の便では決まってトイレの石鹸《せっけん》が切れているのだ。嫌らしい話だが、グランクラス車輌のトイレだから、それほど利用者は多くなかったはずだ。

偶然かと思って検索してみると、そもそもJR東日本は石鹸に関して意識の低い会社らしい。たとえば、ポスターで手洗いを啓発しながらも、トイレに石鹸を置いていない駅も多いようだ。何かの理由があるのだろうが、この御時世にメンタルの強い会社だと思った。「コロナには負けない」という鉄の意志を感じる。

石鹸くらい補充して欲しいと思うが、いちいち文句をつけていると疲れてしまう。最近は、サービスに不満がある時は、「この国や地域ではそういう流儀なんだな」と思うようにしている。

国や地域ごとにトイレとの付き合い方がある。ヨーロッパでは、公共トイレの数が極端に少ない。カフェのトイレも利用者だけが使えるように、鍵がついていたりする。だから博物館でもデパートでも、トイレを見つけたら「とりあえず行っておく」というのが一つの知恵だ。

本当はもっとトイレがあった方が便利なのだろうが、日本からの旅行者がヨーロッパのトイレ事情に口を出しても仕方がない。

数年前、杭州《こうしゅう》から上海《シャンハイ》へ向かう高速鉄道に乗った時のことだ。中国の友人から「乗車したらすぐにトイレに行って下さい」と言われた。上海に着く頃にはトイレが汚くなっているかも知れないというのだ。

なるほど、これも生活の知恵かと思った。高速鉄道のような多様な階層の人が集まる場所で「トイレを先に使う」というのは、自己防衛の手段なのだろう。

外国だと思えば、許せることが増える。それは自分が所詮は余所者であり、一生その場所で暮らしはしないことを知っているから。

極論を言えば、自国の社会も似たようなものである。生涯、海外に移住せずに暮らしても寿命は100年くらい。その国や地域の歴史と比べれば、人間の一生はとても短い。この世界にとって、我々は余所者のような存在だ。

ましてや東北新幹線なんて、年に何度かしか乗らない。しかも大方のサービスには満足しているのだから、ただの石鹸切れは大きな問題ではない。

もちろん、当事者意識を持った人々のコミットメントによって、社会はどんどんよくなる、という考え方もあり得る。新聞に投書をしたり、企業のお客様センターに抗議をする人には、そのような正義感があるのだろう。僕も、危険運転をするタクシーに乗り合わせた時などは、きちんと関連機関に情報を伝える。

しかし生活に関わる全てに当事者意識を持っていたら、あまりにも疲れてしまう。「この国ではそうなんだな」と余所者として暮らしていた方が、リラックスして日々を送れる。と言いながら、こんなエッセイを書いているのだけど。

（2022・2・24）

当事者意識も大事だと思うが、自分が「世界の主役」だと勘違いすると、他人さえも自由に管理できるという錯覚に陥ることがある。世界にとっても、他人にとっても、所詮は自分は余所者なのだと思っていた方が、気楽に生きていけそうである。

第四章

戦争が起き、元総理が殺された

今回の戦争では SNSから流れてくる情報の生々しさに体調を崩す人もいて
戦争はもう自分には関係のない遠い国の出来事ではなくなってしまった気がするよ……

「正義」はいつも都合よく利用される

デザイナーのヴァージル・アブローがこんなことを語っていた。

「人種についてなにひとつ間違ったことを言わずに話すのは、ほんの三分でも不可能なんじゃないか」(『新潮』2022年3月号)。41歳でこの世を去った彼の、最後のロングインタビューだという。

興味深いのは、ヴァージルのような黒人自身が人種差別を語ることの難しさを吐露している点だ。彼が初めて偏見を向けられたのは、白人からではなく黒人からだったという。高校生の頃、学食のテーブルで黒人から「お前は饒舌《じょうぜつ》すぎる。なんで白人みたいにしゃべるんだ」となじられた。

2020年夏のブラック・ライブズ・マター運動の時も、彼は黒人コミュニティから猛烈なバッシングに遭った。略奪行為を嘆いただけで批判を受け、「直接、行動しなよ」「あなたは闘うべきだ」との声が集まった。

もちろんヴァージルは白人中心主義にも違和感を抱くのだが、同時に黒人コミュニティにも居心地の悪さを感じていたようだ。

彼は著名人が政治的な発言をしない理由が腑に落ちたという。それは「誤りを言うのはあまりにも簡単」だからだ。一つの発言で苛烈に非難されるなら、黙っていた方がずっといい。

しかも、ヴァージルが受けたようなバッシングは必ずしも純粋な正義感の発露によるものとは限らない。むしろ「正しさ」は都合よく利用される。

歴史的にはガリレオ・ガリレイの宗教裁判が有名だ。ガリレオが地動説を認めない頑固な宗教者と闘った科学者というのは、後世に作られたイメージに過ぎない。当初はイエズス会士やローマの有力者もガリレオの発見を認めていたし、時には好意を持って受け止められた（田中一郎『ガリレオ裁判』）。

ガリレオの立場が悪くなったのは、聖書の解釈にまで踏み込んでしまったからだ。それが教皇庁内での派閥争いや、元々ガリレオのことが気に食わない人の策謀に巻き込まれる形で、大事件に発展していった。

いつの時代も、誰かを貶《おとし》めようと思ったら、誰も反対できない「正義」を振りかざすのがいい。たとえ私怨や不純な動機だったとしても、正義感に駆られたピュアな人々が味方についてくれる。面白半分に炎上を盛り上げてくれる人もたくさんいる。「セクハラ」「パワハラ」「性差別」として糾弾される問題の裏側には、ただの人間の好き嫌いや、人事などの俗事が絡んでいるというケースが往々にしてある。

だが「正義」を武器に使った人は、最も「正義」からはみ出さないことが求められる。「正義」という武器は、その使用者に最も深い楔《くさび》を打ち込むのだ。だからその人自身が、いつか「正義」に足をすくわれ、血祭りに上げられるのかも知れない。

その意味では、いくら「話のつまらなさには定評がある」と揶揄《やゆ》されようとも、サービス精神でうっかり口を滑らせたりしない岸田首相は、現代社会に最も適合した政治家なのだろう。炎上しない社会は、つまらない社会なのである。

（2022・3・10）

過激な「正義」を押し付けることは、社会変革を阻害する可能性さえある。たとえばアメリカの公民権運動は、誰もが平等な権利を持てる社会の実現を訴えた。これが「自分たちだけを特別扱いしろ」という呼びかけだったら、広範な支持は得られなかっただろう。

「素人」は沈黙せざるを得ないのか

ジャーナリストの江川紹子さんが「ニュース番組なのに、ウクライナ情勢を全くの素人（クリエイティブディレクター？）にコメントさせるなんて、どうかしてる」とツイッターに投稿していた。

誰かに「素人」というレッテルを貼って、その発言を封じるというのは、非常に危険な行為だと思う。もしも「素人」が社会問題に意見する権利がないなら、ほとんどの出来事に我々は沈黙せざるを得ない。

しかし江川さん自身は、盛んにツイッターでウクライナ情勢について語っている。いつから江川さんがウクライナの専門家になったのかは知らないが、テレビの「ニュース番組」と、ツイッターは違うというのか。

しかし専門家という「玄人」の発言を盲信することの危険性を、この2年間で我々の社会は学んだはずだ。新型コロナウィルスの流行に関して、あまたの専門家の予測は外れた。経済や社会に踏み込んだ発言を厭《いと》わなかった専門家も多い。

またウクライナ情勢についても、どれだけの専門家がロシアの全面侵攻を予測できていたか。専門家を信じすぎるのは危険である。誰かの言論を批判するなら、「素人」かどうかではなく、その内容に注目すべきだろう。

江川さんが「素人」と糾弾したのは、時間から推測するに辻愛沙子《つじあさこ》さん。ウクライナ情勢が緊迫する2月23日夜の「ｎｅｗｓ ｚｅｒｏ」で、次のように述べていた。

「より強い国が武力をもって一方的に征服することを今、許してしまったら、近い状況にある他の国にもよくない影響を及ぼしかねない」「第二次世界大戦で痛みを伴って学んだことを絶対に繰り返さないためにも、断固として許さない姿勢が必要」ではないか、と言う。

ユニークな意見ではないが、一般論としてそれほど的外れだとは思わない。

日本のニュースや情報番組に登場するコメンテーターは、しばしば批判の対象になる。欧米のニュース番組にコメンテーターはいない、なぜ素人に意見を求めるのか、といった具合だ。

歴史的には、かつてのテレビ番組では、司会者がコメンテーターの役割も兼ねていた。それがある時期から徐々に分業化が進んでいき、今のような「日本のテレビ」方式が誕生した。

確かに海外のニュース番組で、非専門家の意見を聞く機会は少ないように思えるが、それは司会者がコメンテーターも兼ねているから。彼らは堂々と政権批判をすることも珍しくない。だが当然ながら、司会者は全ての社会問題に対する「玄人」ではない。「素人は口を出すな」という批判は非常に危うい。究極的には民主主義を否定し、全体主義を容認しかねない思想である。誰もが自由に発言をして、その積み重ねで社会はできていく。もちろんそれは一つの理想に過ぎないが、その理想を捨てたら民主主義は成立しない。

そういえば江川さんも野球に関しての発言で、張本勲《はりもといさお》さんを立腹させていた。その件に関しては全面的に江川さんを擁護する。

（２０２２・３・17）

哲学者オルテガ・イ・ガセットは、１９３０年に発表した『大衆の反逆』で、近代社会において「科学者」や「専門家」が専門的知識に固執して、「大衆人の典型」「近代の野蛮人」になる危険性を指摘していた。近年の科学技術社会論でも、専門主義の限界については盛んに議論されている。

優れた物語は国家よりも寿命が長い

1000年後の日本列島を想像してみる。

そこに現在と同じ統治機構としての日本国があるかどうかはわからない。実際、近代国家としての日本は150年ほどの歴史しかないし、その間にも敗戦によって、列島に今とは違う形の国家が誕生していた可能性もあった。東日本と西日本がソ連とアメリカによって分割統治される、というのはSFでもよく描かれる世界線だ。1000年ともなれば、「日本」という国号さえも変わっているかも知れない。

しかし1000年後、余程のことがない限りは『源氏物語』は読まれ続けているだろう。「浦島太郎」や「桃太郎」といった昔話も、ダイジェストかも知れないが、何らかの形で伝わっていると思う。『ドラゴンボール』や『ONE PIECE』といった昭和・平成の漫画のいくつかも残っているだろう。

なぜそう言えるのか。それは、歴史を振り返る限り、優れた物語の寿命は国家よりも往々にして長いからだ。

たとえば世界中にはよく似た神話が残されている。それは人類が交易や移住を繰り返す中で、「面白い話」が口伝の形で伝播《でんぱ》してきたからだ。現在、我々が神話として知る話の中には、数千年どころか、数万年にわたって伝えられてきたエピソードもあるかも知れない。

国家が崩壊した時に何が残るのか。古代ローマ帝国から学べることは多い。

教科書的な知識では「ゲルマン人の大移動がきっかけで、ローマ帝国は東西に分裂、476年に西ローマ帝国は滅亡した」とされる。面白いのは、新しく支配者となったゲルマン人たちが、積極的にローマ文化を受容したことだ。帝国時代の官僚と協力することはもちろん、ローマかぶれのファッションをすることもあった（ブライアン・ウォード＝パーキンズ『ローマ帝国の崩壊』）。

7世紀に中東と北アフリカで起こったことと比べると興味深い。イスラム教は、中東と北アフリカの国々を征服し、多くの領域住民がイスラム教を信じ、アラビア語を話す「アラブ人」化していった。

ゲルマン人の方が文化に対してより柔軟だったとも言えるし、後に世界宗教になるような「物語」を準備できていなかったとも言える。彼らの信仰はゲルマン神話として一部は伝わるが、「物語の戦い」では、ローマ文化やキリスト教に勝利とはいかなかったようだ。

現在のヨーロッパでも、古代ギリシアと共に、古代ローマは文化的原点とされる。帝国が滅んでから長い時間が経ったにもかかわらず、今でも読める書物はたくさんある。さすがに必修科目からは外されつつあるが、ラテン語を学ぶ学生も少なくない。

近代国家は、国民に対して国家のために死ぬことを一つの理想だと教えてきた。特に20世紀は、2度にわたる世界大戦によって、数千万人の人類が犠牲になった。

だが全ての人が国家のために生きる必要はない。広義の物語（それは時に文化や宗教と呼ばれる）は、国家が滅んだくらいで消えたりはしない。

（2022・3・24）

本当に人類というのは「物語」が好きなのだろう。言い方を変えれば、多くの人は「物語」という型式でしか現実を把握できない。古今東西で、陰謀論が流行し続ける所以《ゆえん》である。

こんな簡単に成仏ができるなんて！

比叡山延暦寺《ひえいざんえんりやくじ》には「登叡成佛《とえいじょうぶつ》」と刻まれた大きな石碑がある。文字通り、比叡山に登り、延暦寺にお参りするだけで、成仏ができるという意味だ。その設定を信じるならば、驚くべきコスパのよさである。

アクセス抜群の場所ではないが、京都市内から車で1時間もかからない。駐車場に降り立てばすぐに「登叡成佛」の石碑が見えてくる。こんな簡単に成仏ができるなんて！

ちなみに延暦寺は、1700ヘクタールもの境内地に、約100の堂宇が点在している。大きく三つのエリアに分かれていて、じっくり見て回ると数時間はかかる。

気持ちのいい寺院だった。琵琶湖が一望できるという意味でもそうだし、個人的に気に入ったのは課金スポットがたくさんあること。

賽銭箱はもちろん、鐘を撞《つ》くのには1打50円（連打禁止）。寺では珍しく、授与所で電子マネーを受け付けてくれる。御朱印は20以上の種類があって、限られた縁日にしか授与されない特別御朱印もある。さらにお土産物屋も充実していて、「比叡山開運巻」

や「十二支守護本尊キーホルダー」など、ありがたそうなものがたくさん売られていた。

全ての寺社が真似て欲しいくらいだ。一般的に、なにがしかの意味で信仰心のある人、ご利益に与《あずか》りたい人が宗教施設に行く。だがビジターはもっぱら、お金を落とすことでしか信仰心を発露できない。だから延暦寺のあり方が、とても気持ちよく思えた。

我々は死後どうなるのか。多くの宗教が説くように極楽や天国があると仮定した場合、どうすればそこに行けるのか。科学的に検証できない以上、諸説が入り乱れている。

思い出すのは『源氏物語』の「宇治十帖」で描かれる八の宮のエピソードだ。阿闍梨《あじゃり》に師事し、仏道修行に励む。晩年は住み慣れた家を離れ、山寺に籠もり、「臨終行儀」に則った最期を迎える（角田光代訳『源氏物語』の解題に詳しい）。

しかし阿闍梨曰く、八の宮は極楽往生ができなかったという。なぜなら死ぬ間際に、ちょっとだけ娘のことを思ってしまったから。臨終の一念が乱れただけで、念願の浄土へ行けなかったのだ。あまりにもシビアな設定である。

一方で、浄土宗では念仏さえ唱えれば極楽浄土に行けるとされる。色々とエクスキューズがつくこともあるが、これもまたコスパのいい考え方である。

人間にとって、「わからない」ということは大きなストレスだ。メールの返事が遅いことにさえ、やきもきさせられるときがある。殊《こと》に、死後に関しては、生きている間中、全くわからない。そのストレスを解消するように、数多の宗教が死後の世界を説いてきた。

結局は、自分が心地よく生きられる設定を信じるしかないのだろう。厳しい修行をしたり、戒律の下で暮らすのが好きな人はそうすればいいし、自由奔放に生きたい人はそうすればいい。僕は、比叡山にも登ったし、50円で鐘も撞いたので、成仏できること間違いない。

（2022・3・31）

最後の年忌法要である弔い上げは三十三回忌や五十回忌に設定されることが多い。どんな人であっても32年、もしくは49年経てば極楽浄土へ行けるということらしい。だが人間の平均寿命を考えると、その期間は長すぎるようにも思う。一応、祖母の五十回忌はグーグルカレンダーに入れてあるが、その日までサービスは続いているだろうか。

SNS時代の戦争は「ゲーム」に見えない

1991年1月4日、思想家のジャン・ボードリヤールが「湾岸戦争は起こらないだろう」という論考を仏紙『リベラシオン』に発表した。冷戦が続いた結果、世界には抑止力の論理が働いている。仮に戦争になっても、セックスでいえば「コンドームつき」、地震でいえば「微震」程度にしかならないというのだ。

だが1月17日に多国籍軍がイラクへの爆撃を開始、戦争は起こってしまった。ボードリヤールがすごいのはここからだ。

予防線を張っていたとはいえ、予言が外れてしまった。論考をなかったことにするのではなく、「湾岸戦争はほんとうに起こっているのか？」「湾岸戦争は起こらなかった」という文章を続けて書き、一冊の本にしてしまった。

外れた予言の弁明にも見えるが、2度の世界大戦に比べれば湾岸戦争の犠牲者が少なかったのは事実だ。ボードリヤールの言葉を借りれば「ほんとうの戦争には見えない」。

実際、当時は多くの論者が、湾岸戦争に対する「現実感のなさ」を指摘していた。海外では「任天堂戦争」と呼ばれたこともあった。まるで任天堂のビデオゲームのような戦争だというのだ。

さて、2022年2月24日、ロシアによるウクライナへの軍事侵攻が開始されてしまった。「戦争は起こらなかった」なんていう発言はもちろん、戦争の「現実感のなさ」を指摘する声は聞こえてこない。

この30年で何が変わったのか。映像の解像度と、スマートフォンの普及である。

1991年の人々はアナログ画質で戦争を目撃した。赤外線カメラなどで撮影された、戦闘機が軍事施設を破壊していく映像は、確かに「ゲーム」のように見える。

映像の提供者である米軍は、ピンポイントで軍事施設を爆撃し、民間人の犠牲者が出ていないことをアピールしたかっただろうから、そこに目を背けたくなるようなシーンは少なかった。

一方で、2022年の人々が目撃したのは、たとえばウクライナの市民がスマートフォンで撮影する、高解像度の動画である。少しSNSを検索すれば、ロシア軍による空爆や両軍の野戦の様子、瓦礫《がれき》になった街並みなど、大量の動画を見つけることができる。

それをひどく生々しく感じるのは、普段、我々が使っているデバイスで撮影されたことも大きい。家族やペットを撮っている時と同じような画質で、悲惨な戦争の風景が伝えられる。それはとても「ゲーム」とは思えず、確かにこの地球上で起こっている出来事だと実感できる。

世界中がウクライナに同情を寄せたのは、スマホやＳＮＳの影響も大きいだろう。楽観的に考えるなら、戦争の悲惨さを伝えるＳＮＳは、平和への一助になりそうだ。

しかし抖音《ドウイン》（中国版ＴｉｋＴｏｋ）を眺めていると、ロシアの正当性、アメリカの策略を訴える動画が次々と流れてくる。置かれた情報環境によって戦争の見え方がまるで違う。その意味で、ＳＮＳ時代の戦争は起こらないどころか、起こりすぎている。

（２０２２・４・７）

近代以降の戦争はメディアと共にあった。従軍記者や小説家が新聞で扇動的な記事を書いた時代、ラジオが大衆動員を容易にした時代、テレビが異国の戦争をゲームのように伝えた時代、そしてインターネットとＳＮＳの時代である。次はどんなメディアが戦争を伝えるのだろうか。

これからも「平和ボケ」を享受できるか

もし戦争が起こったら国のために戦うか。この質問に「はい」と答える人の割合が、日本は圧倒的に低い。最新の「世界価値観調査」によれば、日本における割合は13・2%。7人から8人に一人ということだ。

ウクライナは58・8%なのだが、それでも世界で見れば、決して高い数値ではない。ベトナムの96・4%、中国の88・6%、ノルウェーの87・6%というように、ほとんどの人が国家のために戦おうとする国も多い。

もしも1940年代前半の日本でこの調査が実施されていれば、「はい」と答える割合は高かっただろう。子どもたちは国家のために死ぬことが理想だと教育され、兵士として命を落とした若者も多い。

しかし戦前の日本も軍国主義に舵を切る前は、自由主義が幅を利かせた時代があった。調査が検閲される危険性がなかった場合、国のために戦おうと思う人の割合は、特に中高年では、それほど高くなかったかも知れない。

実際、戦争に負けた日本は、その敗戦をあっさりと受け入れた。アメリカ軍が恐れたような、狂信的な天皇主義者による徹底抗戦もなく、完全武装した米軍に対して、日本の人々は総じて礼儀正しく振る舞った。

あれだけ戦争中には「玉砕」が唱えられたのに、玉音放送後に自殺を選んだ人の数は、数百人程度に過ぎない（ジョン・ダワー『敗北を抱きしめて』）。

どこに国土があるのかによって、大きく歴史は変わり、それが国の戦争観や軍事観に影響を与える。最近、再び注目を浴びている地政学では、大陸国家と海洋国家の違いに注目する。

一般的に隣国と陸続きの大陸国家では戦争が発生しやすく、「強い国が生き残る」という弱肉強食の国家観が形成されやすい。一方の海洋国家や島国では、国土を防衛する必要性が低く、経済活動が重視される傾向にある。海が自然の防壁の役割を果たしてくれるからだ。

日本の歴史を振り返っても、侵略された経験は少ない。刀伊《とい》の入寇《にゅうこう》や元寇《げんこう》など対馬や九州に対する侵攻、薩英戦争など明治維新前後のヨーロッパとの局地戦はあるが、被害は限定的だった。太平洋戦争下の本土空襲や原爆投下では多大な被害を蒙《こうむ》ったが、アメリカによる一方的な侵攻ではない。

戦後の平和教育の成果もあり、日本は、世界で最も国家のために戦おうとする人が少ない国となった。好戦的な人々は「平和ボケ」と非難するだろうが、それは日本が幸福な環境にあったことを意味する。

では、これからも日本は「平和ボケ」を享受できるのだろうか。近未来にあり得るシナリオとしては、アメリカがモンロー主義、孤立主義の時代に戻り、在日米軍を撤退させる可能性がある。その時、日本は中国とロシアと対峙するために重武装国家への道を歩むのか。それともあっさりとパクス・シニカ（中華治世）に呑み込まれるのか。どうしても世界中と仲良くする方法を考えてしまいたくなるが、そうも言っていられない厳しい時代が訪れそうだ。

（2022・4・14）

世界では「平和」という場合、対抗暴力（やり返すこと）を認めることが多い。だが日本における「平和」とは「非軍事」を意味する。対抗暴力さえも放棄して、いかに「平和」を維持できるのか。日本列島に住む人々の、覚悟と叡智《えいち》が試されている。

宇宙人襲来で人類は団結できるか

共通の敵を前にすると人は団結できる、と言われる。本当だろうか。

たとえば宇宙人が地球に襲来した場合、世界中の国々は直ちに戦争を止めて、共に戦うことができるだろうか。恐らく難しいと思う。なぜなら決まって「裏切り者」が現れるからだ。少なくとも歴史を振り返る限り、「征服された側」は一枚岩ではなかった。

15世紀末からヨーロッパ諸国は世界へ進出、各地の文明を制圧していった。なぜヨーロッパの海外進出は成功したのか。一見すると、強大な軍事力の賜物《たまもの》に思える。だがヨーロッパは世界中へ大船団で戦争を仕掛けに行ったのではない。ほとんどの場合は、小規模な遠征軍だった。

実は現地人の支援が果たした役割が大きいという。スペイン人の新世界（アメリカ大陸）征服でも、同盟を組んだ部族や原住民が協力、兵站《へいたん》を提供した（ジェイソン・C・シャーマン『〈弱者〉の帝国』）。ウクライナを見ていてもわかるが、戦争は最先端の兵器を持っていれば勝てる、というものではない。軍の戦闘力を維持するための後方支援は非常に重要である。

ヨーロッパからの征服者に協力する。現地からすれば「裏切り者」に見えなくもない。だが、当然ながら新世界側にも様々な派閥が存在した。時のパワーバランスを支持している者ばかりではない。

現代の企業合併や、ナチスドイツに侵略された国の傀儡政権など、似たことは古今東西で起こってきた。誰もが組織や国家の大義のために行動できるわけではない。たとえ集団にとって不利益でも、個人や下位集団の利益を優先するのは、合理的な行動である。

だから宇宙人相手でも、積極的に寝返り、地球征服の手助けをする人々は多く現れるだろう。しかもその行動が「悪」だとは、必ずしも言い切れない。

たとえば裏切り者の暗躍によって、地球は征服されるものの、宇宙人の支配下で、より繁栄した文明を築く可能性もある。それは、地球側が一丸となり徹底抗戦して、すっかり大地が荒廃し、多くの人命が失われるよりも、マシなシナリオと言えるだろう。

もちろん、それは宇宙人の気質による。旧日本軍兵士が体験したシベリア抑留のように、人権を無視した重労働を課されたり、一生奴隷のように扱われるなら、あっさり支配に服するのは得策とは言えない。

どちらにせよ、人というのは、極限状態にあっても、簡単に団結できるものではない。むしろ誰が裏切り者かを探して、互いに疑心暗鬼に陥ることもありそうだ。敵からすれば、その分断をうまく利用したくなる。堂々とした裏切りなら仕方ないが、猜疑《さいぎ》心《しん》による仲間割れはあまりにも悲しい。

現代人の多くは、戦争を憎み、平和を求めているだろうが、戦争で得をする人もいる。軍需企業はもちろん、スキャンダルを抱えた有名人にも恩恵がある。戦争という大事件で自身への注目が減るからだ。世界中が平和になるのは難しい。（2022・4・21）

アジア太平洋戦争の末期、日本の人々は空襲の危機に怯えて暮らしていた。しかし高い確率で空襲を避けられる方法が存在した。それは軽井沢や箱根へ逃げることだ。スイスなど中立国の外国公館や外交官が疎開するホテルがあったので、アメリカとて、おいそれと空襲ができなかったのである。

人は立場から自由にはなれない

人が立場から自由になることは難しい。どれほど客観的かつ冷静であることを装った意見にも、立場というものは透けてしまう。

わかりやすい例は、この2年間の新型コロナウィルスに対する態度だ。たとえば感染拡大当初から、コロナとの共存を訴えてきた知識人には大学に所属していない人が多かった。東浩紀さん、三浦瑠麗さん、與那覇潤さんといった具合だ。

一方で大学から給与をもらう教員からは、例外はあるものの、総じて「緊急事態宣言を出せ、社会を止めろ」という意見が聞こえてきた。彼らは理屈を並べて、いかにコロナが危険かを説いた。だが心の底に「緊急事態宣言を出してもらえば講義がリモートになる。その方が楽でいい」という気持ちはなかったか。

もちろん大学教員だけではない。多くのサラリーマンにとって、「給料はそのまま。出社せずに家で仕事ができる」という勤務形態は魅力的だ。通勤ラッシュにも遭わず、部屋着のまま、嫌な上司の視線も気にせず仕事ができる。

日本の就業者のうち8割以上がサラリーマン（役員ではない雇用者）だ。自営業者は1割にも満たない。

そして高齢者も多く、65歳以上人口は3600万人を超える。高齢者は、コロナの流行で直ちに年金が減るわけではない。感染した場合のリスクも統計上高い。

このようにサラリーマンと高齢者が多い日本社会では、どうしても「社会を止めろ」という声が大きくなりやすい。自分の懐が大して痛まず、失うものが少ない人にとって、「社会を止めろ」というのは短期的には合理的な意見だからだ。

立場から自由になれないのは感染症の専門家も同じである。全ての専門家がそうだとは言わないが、慣れないメディア出演で、明らかに興奮状態にあった医師は一人や二人ではない。SNS上でも、コロナ前とは桁違いのフォロワー増加や「いいね」の数に、嬉しそうな専門家が目立った。

もちろん彼らも馬鹿ではないから、一応は冷静に振る舞う。嘘でも人前では「コロナ万歳」などとは言わない。だが本音や、無意識のレベルではどうだったか。世間からの注目は、魔物である。ちなみにこっそりと「コロナ様々《さまさま》です」と本音を伝えてくれた専門家もいる。

短期的な合理性と長期的な合理性は違う。いつまでも社会を止めておくことはできない。無限に借金はできない。コロナ予算は２０２０年度だけで77兆円に達した。「いくらでもお金を刷ればいい」「国債は返さなくてもいい」と言う人がいるが、それならなぜ世界中の国家がそうしないのか。

イギリスやスウェーデンのように、コロナ前と同じ風景が戻った社会がある一方で、中国ではゼロコロナ政策に綻びが見え始めている。既感染者が少なく、自国製ワクチンの効果が限定的であり、極度に人口が密集した都市部では、難しい舵取りを迫られている。もうコロナに対する「答え」は見えているように思うのだが、これもまた立場に制約された意見なのだろうか。（２０２２・４・28）

人文・社会科学の初学者が学ぶことの一つに、立場性という問題がある。研究者の性別、人種、階層などが知的活動に大きな影響を与えるのではないか、というのだ。客観的なたった一つの「真理」などは存在しないと考えるわけである。研究の大前提のはずなのだが、忘れているロートル研究者も多いらしい。

個人で大きな仕事はできない

映画『千と千尋の神隠し』で湯婆婆《ゆばーば》を演じた夏木マリさんは、アフレコ時に宮崎駿監督からこんなことを言われたという。

湯婆婆はスタジオジブリのプロデューサー鈴木敏夫さんに似ている。彼は「悪いやつ」ではない。ただ仕事を一生懸命やるから、時には「悪いやつ」に見える。だが本質はしっかりと仕事をする人なのだ、と（『熱風』2022年4月号）。

張り切って悪役を演じようと思っていた夏木さんは肩の力が抜け、身近な生身の人間を演じようとスイッチを切り替えられたという。

確かに湯婆婆は、巨大な湯屋の経営者だ。スーパー銭湯が併設された温泉旅館のようなもので、多数の従業員を抱えている。そんな湯屋のトップが、ただの悪者に務まるはずがない。

どんな目的を掲げた組織であっても、規模が大きくなればマネジメントが必要となる。作家の猪瀬直樹さんと話した時も、社会運動と会社経営の類似性を指摘していた。

猪瀬さん自身も信州大学で全共闘運動の議長まで務めた経験がある（『公《おおやけ》』）。学生運動のリーダーに求められるのもマネジメント能力だ。東京のデモへの動員を求められた場合、デモのテーマや危険度に応じて送り出すメンバーを決める。

東大の安田講堂事件では、「玉砕」を覚悟していたから、未成年の学生に参加してもらったという。仮に逮捕されても鑑別所に送られ、不起訴処分で終わるだろうという算段があったからだ。

歴史を振り返っても、革命を実現し、社会を支配できたのは、うまく徒党を組めた人々である。ロシア革命を経て共産党がソ連を支配できたのは、その理念に人々が共感したからではない。緻密なネットワークを持っていたからだ。もちろん純粋に新しい正義に酔いしれた人もいただろうが、思想だけで社会は変わらない。

現代日本で自民党や創価学会が影響力を持つのは、組織作りに成功してきたからだ。高齢化が進んでいるとはいえ、老若男女を巻き込んだネットワークは、今でも選挙の際に大きな力を発揮する。

翻って、個人にできることには限界がある。歴史は英雄を中心に語られがちだが、本当に英雄は歴史を変えたのか。坂本龍馬がいなかった日本に近代は訪れなかったのか。

エジソンやジョブズがいなかったら、電球もｉＰｈｏｎｅのようなスマートフォンもなかったのか。

恐らく、そうではない。多少は歴史が変わっても、他の誰かが似たような役割を果たしたのではないか。似た発明は同時多発的に生まれる。実際、エジソンは、電球の唯一の発明者ではない。１８７０年代末までに白熱電球を「発明」した人は、少なくとも21人も存在するという（マット・リドレー『人類とイノベーション』）。

もしも大きな夢があるのなら、まず隣の人を大事にして、仲間を作るところから始めるのがいい。言い方を変えれば、人望のない人は、大きなプロジェクトを成功させるのが極めて難しいということだ。

「悪いやつ」に見えても「嫌なやつ」にはならないように。


（２０２２・５・５、12）

猪瀬直樹さんに会ったのは、田原総一朗さん88歳の誕生日会のタイミングだった。その時の猪瀬さんは饒舌《じょうぜつ》でありながら、どこか寂しそうでもあった。その後、参議院選挙に立候補して当選、政治家としてのキャリアを再開させた。もうこれで寂しくないですね。

「リアル」はどこにあるのか

アメリカやイギリスの学生の間で「BeReal」という写真共有アプリが流行している。アプリから通知があると、ユーザーは2分以内に自分の写真を撮影・公開しないといけない。フィルターによる加工もできない。とにかくリアルな写真を友人に見せろというのだ。その2分に遅れると友人には「遅れた」と通知され、そのまま投稿しないと友人の写真を見ることもできない。

要は、仲間外れにならないためには、通知があったらすぐ、ありのままの自分を晒さなければならない。大学の講義、散らかった部屋、散歩中の田舎道、というように世界中の若者の「リアル」が覗けるアプリだ。

フェイクに満ちたネット空間に対するアンチテーゼとしては面白い。インスタグラムでは修整や、撮影から投稿までに間を空けるのも当たり前。もはやインスタの世界を「リアル」だと考えられるほど我々はナイーブではない。

動画も簡単に修整できる時代だ。それは「イーロン・マスクとリモート会議をするウクライナのゼレンスキー大統領の机の上にコカインを足す」というような露骨な修整もあれば、キャプションや編集を工夫するという場合もある。

昔の週刊誌が得意だった手法だが、同じ素材でも、見出しを変えるだけで読者が受ける印象はまるで違う。3人の男女が歩いている写真を切り取って2人にすれば、デート写真に見える。誰かに殴られて反撃した人がいたとして、後半だけを公開すれば、反撃した人が悪者に見える。

情報とは切り取り方である。YouTubeでは切り抜き動画が流行している。人気YouTuberの中には、数時間にわたる生配信をする人がいるが、視聴者は全てを観られるほど暇ではない。そこで本人公認のもと、面白い箇所だけを1分ほどの動画に切り抜く人々がいる。

考えてみれば、編集に満ちたテレビは元祖切り抜き動画だし、情報ということでいえば、新聞も本も村の伝承も切り抜きだ。森羅万象を理解し、経験することのできない人類にとって、世界を理解するために、切り抜きは欠かせない。

だから切り抜きが悪いわけではない。同時に切り抜きには、多分に編集者の意図が介入していることを忘れてはならない。その意味で、「BeReal」の世界も必ずしもリアルだとは言えない。

カメラとフィルムが高価だった時代、人々は「ここぞ」という時にしか写真を撮影しなかった。アプリの命令によって、何でもない時に写真を撮影して公開するなんて、昔の人からすればアンナチュラルもいいところだろう。

どこかに「リアル」があると想定するところに無理がある。人間は、化粧をして、身なりを整え、言動に気を遣う社会的な生き物だ。その全てを取っ払った姿は、人間にとってリアルと言えるのだろうか。

芸能人のインスタグラムの、あまりにも露骨で大胆な加工が批判されることがある。だが、その執念にこそ、人間らしさを感じてしまう。ここにリアルな人間がいる、と。

（2022・5・19）

現代人は誰も彼も自分の顔を忘れかけている。フィルターで修整の施された顔に見慣れてしまうと、それこそが「リアル」という気がしてくる。そして、まじまじと鏡を見つめた時にショックを受けるのだ。「自分がこんな不細工でびっくりした」と。美容整形の流行は続くだろう。

ソフトパワーは侮れない

ゴールデンウィークの沖縄の北谷《ちゃたん》は、街中にポケモンが溢れていた。パレードでは大量のピカチュウが街中を練り歩き、子どもから大人、近くの米軍基地関係者までが無邪気な笑みをこぼす。夜にはＨＹ出演のライブショーが開催され、ドローンによる巨大モンスターボールが出現した。

１９９６年に発売された携帯ゲーム機用ソフトから始まったポケモンは、世界を席捲する怪物級のコンテンツとなった。ゲームソフトの出荷本数は4億４０００万本、カードゲームの累計製造枚数は４３２億枚を超え、テレビアニメは世界１９２エリアで放送されてきたという。

現在の世界で、軍事力と経済力というハードパワーがものを言う状況に変わりはないが、それでもソフトパワーの力は侮れない。

思い出すのは、10年ほど前、上海の淞滬《ソンフー》抗戦紀念館に訪れた時のことだ。上海事変の激戦地に建てられ、「上海市愛国主義教育基地」にも指定されている。ちょうど地元の小学生が引率の先生と共に来ていた。まさに「愛国教育」の真っ最中というわけだ。

どんな「愛国教育」が行われているのだろうと覗いてみると、子どもたちはシアターで上映されていた映画に夢中だった。抗日の戦争映画かと思ったら、何とディズニーの「白雪姫」が上映されていた。

かつて日本でも愛国心教育の是非が議論された時期があった。しかし愛を強制することはできない。恋愛と同様だ。「俺のことを好きになってくれ」はストーカーの台詞である。

しかし強制などしなくても、中国の子どもが進んでディズニー映画を観るように、コンテンツを通して国や文化のファンを増やすことはできる。

特に工業製品に比べて、映画やドラマ、音楽などは言語や文化を含めて、その国のファンを増やす効果がある。実際、内閣府の調査によれば、「韓国に対して親しみを感じる人」の割合が、この数年、特に若年層の間で上昇傾向にある。

一方の韓国では、ポケモンパンを巡る騒動があった。キャラクターシールが封入された普通のパンなのだが、BTSのメンバーも買うほどの人気で、品切れ状態が続いているという。

ソフトパワーだけで世界が平和になるとは思わない。ハードパワーが、打算や損得勘定に基づいた味方を増やすのに対して、ソフトパワーはもっとウェットだ。そして愛情や共感という感情に支えられた力である分、脆弱でもある。

だが世界は損得勘定だけで動いているわけではない。人間は合理性を超えた行動を起こす。悲惨な事例には、独ソ戦のような互いのイデオロギーを懸けた絶滅戦争があったが、ゲームやアニメが平和に寄与する局面が訪れるかも知れない。

そもそもソフトパワーを国単位で考える必要はない。優れたコンテンツは国を越え、世界に遍在するようになる。それは新しい世代にとっての共通体験となる。世界の首脳がポケモン外交をして、戦争危機が回避される時代が来るといい。

（2022・6・2）

内閣府「外交に関する世論調査」によれば、韓国だけではなくて中国に対する親近感も、若年層では高い傾向にある。2021年実施の調査では、18歳から29歳だと、韓国に対しては約6割、中国に対しても約4割が親しみを感じると答えている。

「みんなで良いことをする」に怪しさを感じてしまう

自分が年寄りになったように感じることがある。

たまたまNHKを観ていたら「勤労奉仕がSDGs」という発言が聞こえてきたのだ。戦前の国家や天皇に対する勤労奉仕がSDGsとはどういうことか。しかしキャスターや共演者はその発言に黙って頷くばかり。頭の中の妄想左翼が怒り出すのだが、SNSを確認してみても発言を問題視する人はわずかだった。

番組は5月20日に放送された「首都圏情報　ネタドリ！」。テーマは明治神宮外苑《がいえん》の再開発である。神宮球場と秩父宮《ちちぶのみや》ラグビー場が建て替えられ、高層ビルも建築されるのだが、900本の樹木が伐採される可能性があるのだという。

スタジオに呼ばれた専門家、原科幸彦《はらしなさちひこ》さんは次のように述べる。「全国から寄付が集まって、勤労奉仕もあったんですね。要はみんなで作ったんですよ。これはまさにSDGsなんですよ。SDGsの流れが百年前にあったってことね」。

確かに神宮外苑の完成までには、渋沢栄一たちの外苑奉献運動や、青年団奉仕運動、そして市民の尽力があったのは間違いない。１９２６年の完成後も、緑化整備にはたびたび市民が動員され、奉仕事業が実施されていた。

そして原科さんの言うように、ＳＤＧｓには「パートナーシップで目標を達成しよう」という項目があり、持続可能な開発に対するグローバル・パートナーシップの活性化が呼びかけられている。だから神宮外苑の緑と市民参加だけに注目すれば、ある意味でＳＤＧｓ精神との親和性を指摘することもできるだろう。

でもですね、そもそも神宮外苑の創建は、「明治天皇とその皇后、昭憲皇太后《しょうけんこうたいごう》のご遺徳を永く後世に伝えるため」（公式ウェブサイト）の事業なのだ。１９４３年には外苑で出陣学徒壮行会が催され、中には特攻隊として命を落とした学生もいた。

偏狭なナショナリズムを超えて、地球規模で持続可能な世界を目指すＳＤＧｓと、天皇を中心とした国家主義の中心地だった明治神宮外苑の歴史は、素朴には相容れるわけがない。

ＮＨＫの番組では、「無償の勤労奉仕」を「公共性」と読み替えていた。本来は明治神宮外苑の歴史を語る上で欠かせない「天皇」と「戦争」が、すっぽりと抜け落ちているのである。

ただ単に「みんなで協力したこと」を「公共」と呼ぶのなら、侵略戦争だろうが特攻隊だろうが全て公共的だ。協力は必ずしも素晴らしいことばかりではない。
だがこのような批判はもはや古いのだろう。敗戦から80年近くが経った。「天皇」と「戦争」抜きで歴史を語るべき時代が来ているのかも知れない。

原科さんは、外苑再開発にあたって「国民はみんなボランティア」などの「支援をする」ことも重要だという。戦前の勤労動員を復活させるつもりか、という声は聞こえてきそうもない。「ＳＤＧｓ」や「パートナーシップ」といった流行り言葉で「自然を残そう」「伝統を守ろう」とでも訴えるのが今時の態度なのだろう。

（２０２２・６・９）

ライターの武田砂鉄さんも、明治神宮外苑を「国民からの寄付金や献木、そして今でいうボランティア活動によって作られた場所」と好意的に紹介しながら、再開発を「乱暴」だと非難する（『ＧＱ　ＪＡＰＡＮ』２０２２年７・８・９月合併号）。だがそこに戦争の話は一切出てこない。昭和は遠くなる一方だ。

小手先の「やった感」が好きな人が多い

ワシントンD.C.に移住した友人からこんな話を聞いた。

ある女性同士のカジュアルな集まりでのことだ。参加者は経営者の妻が多い。「専業主婦」への風当たりが強い国なので、肩書きとしてはNPOや財団の運営者を名乗り、日々チャリティー活動に精を出す人々だ。

その中の一人が、集まりに遅れてきた。手に持っていたのはペットボトル飲料。全員の視線が集中する。そのことに気が付いたのか、彼女は「今日はとにかく時間がなかったの」と必死に言い訳を始めた。

意識が高いそのコミュニティでは、もはやペットボトルがタブーになりつつあるというのだ。地球環境に配慮して水筒などを使わないと、白い目で見られる。

せっかく便利になった社会を後退させるような社会規範の登場に驚いてしまうが、日本も同じようになるのだろうか。事実、レジ袋の有料化のみならず、プラスチック新法が施行され、生活は不便になる一方だ。

環境省が背景として説明するのは、「海洋プラスチックごみ問題」「気候変動問題」などへの対応。嬉しそうにＳＤＧｓバッジをつけている人の多さからして、小手先の「やった感」が好きな人は多いのだろう。地球を守るという大義名分に逆らうのは難しい。

だが、水筒を使ったり、ＳＤＧｓバッジをつけたくらいで、環境は容易に改善するわけではない。本気で二酸化炭素削減を目指すならば、原子力発電所の再稼働と新設を進めればいいように思う。事実、脱炭素に舵を切ったヨーロッパでは、石炭火力発電の廃止と原子力発電の拡充を目指す。

だがチェルノブイリ（チョルノービリ）や福島のような事故が起こった場合、国土は汚染され、甚大な影響がもたらされる。それも一種の環境破壊と言えるだろう。太陽光発電や風力発電も電源設備が乱立すれば、同様に環境破壊になる。

このように「地球や環境を守る」といった美辞麗句《びじれいく》や「環境破壊」という脅し文句は、相互に矛盾するような社会政策さえも正当化する。賢い人は、それを利益誘導に使う。心優しい人が、その音頭に乗せられる。

現在、環境やエネルギーに関して起こっているのは、世界を巻き込んだ新しいゲームと考えれば理解しやすい。水筒を使うことが、どれほど気候変動に寄与するかはわからない。人類にとって、温暖化が寒冷化と比べてどれほどの脅威かもわからない。少なくとも温暖化の影響には地域差がある。

だがゲームが始まり、ルールが定められてしまった以上、それに反する人には冷ややかな目が向けられ、ペナルティが科される。

ゲームチェンジは歴史上、何度も起こってきたことだ。旧ゲームと新ゲーム、どちらがいいゲームかは別として、古いルールで不利だった人は、新しいゲームを歓迎する。古いルールで勝ち上がってきた人は、新しいゲームに抵抗する。

正義の名の下で行われるゲームの変更にも、利害は絡んでいる。驕れる者は久しからず。ＳＤＧｓバッジの次は何が流行するだろう。

（2022・6・16）

「やった感」の代表格と言えば、ベルマーク活動だろう。今でもＰＴＡ活動の一環としてベルマークを回収し、点数計算をしている学校がある。時給換算すると数十円という経済合理性の低い活動だ。実は似ているのが起業。学生ベンチャーなど、時給計算してみるとバイト以下ということが少なくない。

苦手な人とはとにかく距離を置く

誰かに辛く当たったり、きつい言葉をかけてしまって、自分が嫌になる瞬間はないだろうか。だけど、それは自分が悪いというよりも、環境や相性の問題であることが多い。

ついつい人は「本当の自分」や「自分の本性」があると考えがちだ。「自分」なるものを探して、バックパックを背負う旅が流行した時代もあった。だが旅先に「自分」なる存在が落ちていて、それを偶然見つけるなんてことがあるわけない。

なぜなら「自分」は、環境によって変化するのが当然だからだ。バックパッカーとしてアジアの片隅を訪れ、夕日に感動したり、一期一会の人々と優しく言葉を交わす商社マンがいたとする。彼は日本に戻ると、慌ただしい日々に忙殺され、空を見ることもなく、街で人とぶつかっても謝りもしない。

どちらが本当の彼なのか、という議論に意味はない。単純に、余裕があるかないかで人間は変わるというだけの話だ。

環境が引き起こす事件は多い。山口県阿武町《あぶちょう》の誤入金騒動が記憶に新しいが、町のミスが一人の人生を狂わせた。もしも日本のデジタル化が進んでいれば、そもそも町の職員によるミスも起こらなかっただろう。

もちろんどんな環境に置かれても清廉潔白《せいれんけっぱく》で居続けられる人もいるだろうが、誰もがそんなに心を強く持てるわけではない。お金を扱うプロであるはずの銀行員でさえ、幾度も横領事件を起こしているのだ。

人は相手によっても変わる。蒼井優さんが結婚した時に、「『誰を好きか』より『誰といるときの自分が好きか』が重要」という言葉が話題になった。蒼井さんが歌手のヒャダインさんに伝えた考え方だという。いくら相手のことが好きでも、緊張したり、見栄を張ってしまうことがある。それよりも「自分」の状態を起点に考えた方がいい。

同様の理由で、ついイライラしてしまったり、気に食わない人がいたら、できる限り関係を持つべきではない。客観的にどちらが悪いかを検証することができたとしても、お互いの相性が悪いというのは事実である。

相手のいいところを見つけようとか、自分の心を落ち着かせようとか、そのような努力を重ねるくらいなら、距離を置くのが最もシンプルな解決法だ。

職場の同僚や、ご近所さんなど、簡単に付き合いを止められない場合もあるだろう。

その時は一工夫が必要だ。信頼できる上司や、第三者に相談して、できるだけその人と会わなくて済むようにしてもらったり、とにかく距離を置くに限る。

もちろん相手を変えようとしてもいい。相手が、自分にとって好ましい性格や行動をしてくれるように環境を整えるのだ。だが当然ながら、膨大な時間と労力がかかる。抜本的に環境を変えない限り、人間は中々、変わらない。形状記憶合金のようなもので、改心したつもりでも、すぐ元に戻る。

転居や転職は大仕事に違いないが、他人の行動を変えるという壮大なプロジェクトに比べれば、遥かに簡便である。

（2022・6・23）

誤入金騒動で日本中を騒がせた田口翔さんは社会復帰の様子をＳＮＳで公開している。現在は鶏胸肉とブロッコリーを提供する飲食ブランドで働いているようだ。ツイッターのフォロワー数は10万人を越える。

世界は77年で一回りする

77年。1868年の明治維新から、1945年の敗戦までの長さである。そして日本はもうすぐ敗戦から77年を迎える。

77年と言えば、社会を生きる人間の9割以上が入れ替わるくらいの期間だ。平均寿命の延びた現代でも、77年前に物心がついていて、その時のことを克明に覚えている人は、決して多くない。

社会が一回りする期間と言えばいいのだろうか。「戦時下の日本」と聞けば、かつてはアジア太平洋戦争のことを指していたが、最近では近未来に起こりうる戦争を想像してしまう。

海洋国家である日本は、自分から他国を侵略するような真似をしない限り、大きな戦争に巻き込まれるリスクは低い。それでも台湾や北朝鮮有事の際には他人事ではいられないし、歴史上何度も「まさか」が重なって戦争が起こってきた。

昔から「もし尖閣が侵略されたら」「北朝鮮の核ミサイルが着弾したら」といった、

軍事上のシミュレーションはマスコミでもよく見かけた。しかし戦争に社会がどう反応するのかは、この2年間で、非常にイメージしやすくなったように思う。

新型コロナウィルス騒動を見る限り、ひとたび有事になれば、日本の大多数は喜んで戦争に協力するのだろう。そして戦争に非協力的で、自由を貫こうとする人を、非国民とバッシングするのだろう。

お決まりの戦争批判に「徴兵反対」というものがあったが、現代日本に徴兵制など敷く必要がないことが、コロナ騒ぎでよくわかった。自主的な「協力」を求めるだけで、進んで従軍してくれる若者は大勢いるだろう（その規模の総力戦が起こることは想定しにくいけれど）。

国家による言論統制も必要ない。メディアやSNSには、自然と愛国的で好戦的な言葉が溢れるようになるのだろう。のらりくらりとバランスを取ろうとする政府に対して、「弱腰」「国民の命を守れ」という批判が殺到するはずだ。

その結果、市民生活が困窮しても、きっと「自粛」要請だけで乗り切れる。ヤフーのバナー広告あたりでインフルエンサーが笑顔で戦争協力を訴えかける。行動自粛やワクチン接種を呼びかける政府広報を想像してもらえばいい。百貨店は目の敵にされ、有名人が楽しく旅行でもする写真をＳＮＳにアップしようものなら、大炎上する。

カリスマ的な指導者は必要ない。何なら「戦争」という言葉さえ使われないのかも知れない。「安心・安全のために協力をお願いします」といった曖昧な言葉で、事実上の戦争が進行する。

77年前のアジア太平洋戦争を忘れないのは大事だと思うが、同時にあの戦争だけを「戦争」と考えるのは危険だ。東条英機がいなくても、治安維持法がなくても、戦争は起こるし、自由は弾圧される。

今から77年後は２０９９年である。朝ドラでコロナ時代のドラマでも放送されているのか。それともＮＨＫがもうないのか。


（２０２２・６・30）

歴史を学んで何の役に立つのかという議論がある。一回しか起こらない、再現性のない出来事を知ることに意味はあるのか、と。だが少なくとも歴史を学ぶことで、僕たちは冷静になれる。全く同じではなくても、似たような出来事を知ることで、客観的な視点を得られる。

「倍速視聴」は映画への冒瀆か

藤原ヒロシさんと映画の倍速視聴の話になった。

ＮｅｔｆｌｉｘやＨｕｌｕなど動画配信サービスでは、再生速度を選ぶことができるので、１・５倍速や２倍速で映画を観る人が増えている。また、あらすじ紹介サイトやダイジェスト動画だけで映画を「観た」気になる人もいる。

保守派によれば「映画への冒瀆《ぼうとく》」なのだという。２時間の総合芸術を、早送りで観たり、ダイジェストで済ますなんて許せない、と。

そのような意見に対して、ヒロシさんが面白いことを言っていた。「昔の映画館って途中から入れたよね。だからクライマックスから観ちゃうこともあるの。これも映画への冒瀆なのかな」。

確かに数十年前まで、日本の映画館は全席自由で入れ替えなしというスタイルが主流だった。２本立て、３本立ての上映も多く、お客さんは閉館まで居座ってもいい。

タイミングが悪いと、オチを最初に知った上で、また冒頭から観るなんてことも珍しくなかった。また人気作品は観客が殺到するため、長蛇の列に並んだ上、立ち見しかできない人も多かったという。

１９７４年に岩波ホールが完全入れ替え制を導入、歌舞伎町のシネマスクエアとうきゅうや六本木のシネ・ヴィヴァン・六本木などが後に続いたとされる。

しかし１９９０年代前半まで、完全入れ替え制は東京のミニシアターに特有の仕組みだった。実際、当時の東宝は新聞取材に対して「映画館は３６５日開いていて、なおかついつでも入れるというのが理想」であり、日本に入れ替え制は馴染まないと断言している（『朝日新聞』大阪版、１９９３年4月17日夕刊）。

こうした状況を変えたのはシネコンの流行だ。町の古い映画館に代わって、複数のスクリーンを備えたシネマコンプレックスが全国に登場、２０００年代までには全席指定、完全入れ替え制が定着していった。もちろん今や東宝の映画館も、入れ替え制である。

教訓は二つ。まず視聴習慣は時代と共に変わること。そして、いつの時代にも保守派はいること。90年代の東宝が、入れ替え制に拒否反応を抱く様子は、２０２０年代の我々からは不思議に映る。同じように２０５０年代の人からすれば、現代の倍速視聴論争は理解不可能かも知れない。

ある女優さんが「最近の人は早送りで映画を観ちゃうでしょう。だから私たちも初めから2倍速とか3倍速で喋ろうかしら」と言っていた。非常に的を射た発言だと思う。それは小津安二郎の『東京物語』や、黒澤明の『七人の侍』を2倍速で視聴すればわかる。役者が元から早口の上、時に滑舌も悪いので、咄嗟に内容を理解するのが難しい。同様に、好評を博した『トップガン マーヴェリック』を2倍速で観たいと思う人は少ないだろう。テンポがよくて情報量が多いから、元々倍速視聴のようなものだ。

そもそも本の世界では、速読は憧れの対象でこそあれ、あまり批判されない。このエッセイも速読・流し読み可です（当たり前だ）。

（2022・7・7）

講談社現代新書から『10分で名著』という本を出した。『神曲』や『資本論』など、一人で読み通すことが難しい本の勘所を、その道のプロに聞いてきた。その前提知識があるかどうかで、本の読みやすさはまるで変わる。いい企画だと思うのだが、読んでもいない人から知の軽視といった批判が相次いだ。読まないで批判する方が知の軽視だと思うけど。

若者はいつだって補導されている

「トー横キッズ」という言葉を聞く機会が増えた。トー横とは「新宿東宝ビルの横」のこと。歌舞伎町の一角にあたり、バーや飲食店が建ち並ぶエリアだ。トー横キッズは、そこにたむろする若者を指す。

トー横キッズが生まれたのはそれほど昔ではない。何せ新宿東宝ビルの開業が2015年である。社会学者の開沼博《かいぬまひろし》さんの取材に応じた少年によると、2019年頃、SNSを使って、トー横界隈に十代少女を集めた男がきっかけらしい。不登校や発達障害、家庭環境など何らかの問題を抱えた少女が多かったという（『東洋経済オンライン』2021年12月9、10日）。

似た境遇の若者たちが、それをSNSで知り、トー横に集まる。新型コロナウィルスの流行がそれに拍車を掛けた。親がステイホームしている家にいたくない少年少女らが、営業自粛により、いつもより物々しさが薄まった歌舞伎町に集まったのだという。

開沼さん曰く、トー横キッズは「セルフヘルプグループ」。だが、暴行事件、猥褻《わいせつ》事件が相次いでいるとして、２０２１年12月４日には警視庁による一斉補導が実施された。警察は若者に声を掛け、17人の中高生たちが補導されたという。

一斉補導と聞いて思い出すのは半世紀以上前の銀座である。東京オリンピック開催間近の１９６４年夏、銀座みゆき通りに、お洒落に着飾った若者たちが集まっていた。当時、十代後半に差し掛かっていた団塊の世代を中心とした「みゆき族」である。あまりの活気に商店からの苦情が殺到したようだ。当時の警察は、みゆき族の一斉補導に乗り出す。１９６４年９月に２回、数百人規模の大がかりな補導が実施された。

この一斉補導には批判も集まった。何せほとんどのみゆき族は、ただ銀座に来ていただけなのである。警察の言い分は「群れをなすところに、不良化の芽がある」。強引な理屈だが、確かにみゆき族は一時的に減少したらしい（『読売新聞』１９６４年９月29日夕刊）。

銀座への憧れがあり、ファッションが注目されたみゆき族と、トー横キッズはまるで別物だが、半世紀を経ても若者がオフライン上の具体的な場所に集まるのは興味深い。デジタルネイティブというくらいなら、メタバース上で集えばいいのではないか。

実際、「トー横キッズ」はメディアが生み出した側面がある。常時滞在しているキッズは数十人程度だろうか。その規模のコミュニティだったら、日本中に無数に存在している。

その中でトー横キッズがメディアに好まれるのは、歌舞伎町という画になる舞台があることに加えて、「居場所のなさ」や「承認欲求」など今っぽい要素が多く含まれているからだろう。「ハウル」など登場人物も味わい深い。かつてのみゆき族や、センター街やバーキン横のギャル同様に、恣意的に選ばれた時代の象徴だ。

次に発見されるのは、どんなコミュニティだろうか。そろそろメタバース上の迷惑集団あたりが注目される頃かも知れない。

（2022・7・14）

ある記者が歌舞伎町のハウルを取材した際、トー横キッズの少女と間違いが起きないようにと、「荒地の魔女」と名乗る女性を常に帯同していたという。マスコミが一方的に物語を作るのではなく、当事者もまた物語を作り、それにマスコミが利用されているという面もあるのだろう。ちなみにハウルは逮捕後、東京拘置所で死亡した。拘置所の対応が適切だったのか検証が必要だが、物語としては後味の悪いラストとなってしまった。

注意散漫でも構わない

『週刊新潮』を読んでいたら不思議な広告が目に飛び込んできた。「ワープロ販売」「送料無料」というものだ。しかも1992年とかではなく、2022年7月の最新号。この時代にワープロ？　2000年代初頭に全てのワープロ専用機は製造を終了しているはずだ。

どういうことかと言えば「再生ワープロ」なるものが静かなブームらしい。定期的に新聞広告も出しているようだから、商売として成立しているのだろう。

再生ワープロ、広告によれば高いもので7万円、安いもので2万8000円。有名メーカーの格安パソコンが十分に買える値段だ。しかも今は「Google　Docs」など無料で使えるワープロソフトもたくさんある。

それなのに、なぜこの時代にワープロを買う人がいるのか。そういえばキングジム社のポメラというテキスト入力機にも根強いファンがいる。スマホより一回り大きく、開いたらすぐにキーボードで文字入力ができるというのがウリだ。

ただポメラにしても、ノートパソコンやスマホで用が足りそうだ。600gを切る軽量のパソコンもある（ちなみにワープロって重いですよね）。スマホにキーボードを接続することもできる。

ポメラ愛用者が言うのは「インターネットにつながらないのがいい」。ブラウザやメールアプリが搭載されていないので、文章作成に専念できるというのだ。

確かに現代人が集中するのは難しい。人々は日々、おびただしい数のメールやLINEなどの通知に追われている。

ブラウザを開けば、ホラン千秋が世界のiPhoneの価格に驚いたとか、若槻千夏《わかつきちなつ》のパック姿に反響とか、心からどうでもいいニュースがたくさん。

デジタルデトックスが流行しているが、本当に全てのデジタルを手放すと仕事にならない。だからポメラに愛用者がいるのもわかる。

同じようにワープロも、「文章しか書けない」というのが魅力なのだろう。プリンター機能まで搭載されている。簡便で、全てが一台で済む。実は最近のパソコンは、開けば使えるくらい簡単になっているが、それでも「アカウント登録」などいくつか煩雑な作業がある。

100年前の人からすればパソコンやスマホは夢のような機械のはずだ。文章が書けるのはもちろん、絵も描けるし、ゲームもできるし、ご飯の配達も頼めるし、他人の悪口に夢中にもなれる。だが、何でもできるがゆえに、何もできない（と感じる）人が出てきてしまう。

ベストセラー『スマホ脳』では、スマホの画面を白黒表示にすることが勧められていた。「色のない画面のほうがドーパミンの放出量が少ない」というのだ。技術革新によって迎えた便利な世界で、一部の人類はわざわざ不便さを求めるわけだ。

ちなみに僕は、現代人は注意散漫でもいいと思っている。こうして文章を書く時にも1分おきにスマホを見てしまう。なぜなら時に思いもよらない発見があるから。今は『デイリー新潮』で、「中森明菜は今、どうしているのか」を読んでいる。（2022・7・21）

2022年7月、ポメラは6年ぶりの新機種を発売した。駆動時間が24時間に延び、本体メモリも増強された。重さは620gで、最近の軽量パソコンと変わらない。やはりポメラの一番のウリは「インターネットにつながらない」という点なのだろう。

安倍さんにはもっとこの世界にいて欲しかった

「英雄になんか…ならないで下さい」

田村由美さんの『BASARA』という漫画の台詞だ。愛する男が戦場に旅立つ時、婚約者がつぶやく。広場に銅像が建てられ英雄として崇められるような存在にならなくていいから、とにかく生きていて欲しい、と。

世界中のあらゆる街には、英雄たちの銅像が建てられている。非業の死を遂げた人も少なくない。たとえば日本の歴代首相は64人だが、そのうち7人の死因が暗殺である。

7人目に当たる安倍晋三元首相の訃報《ふほう》が伝えられた日、この国はある種の虚脱感に包まれた。人々は粛々と日常をこなしながらも、どこか落ち着かない様子だった。「安倍さんの死にショックを受けています」といった声を何人もから聞いた。

誰もが近しい間柄だったわけではない。それどころか安倍政権を口汚く罵《ののし》っていた人までが、不思議なほどショックを受けている様子だった。

政治家としては評価の分かれる人だった。事実、訃報と共に森友・加計学園の騒動を執拗に伝えたメディアもあれば、過剰な神格化をするジャーナリストもいた。「右翼・左翼」という区別がさしたる意味を持たない時代、「アベ・反アベ」は政治観のリトマス試験紙のように扱われることもあった。

「評価が分かれる」というのは、政治家にとって讃辞《さんじ》の一つである。なぜなら政治とは資源配分を決めることだから。百人中百人が賛成したり、反対することに政治は必要ない。51と49で意見が割れたり、話し合いだけで決着がつかないことを決断するのが政治である。当然、恨みを買う仕事だ。政治家としてきちんと仕事（決断）をしてきたからこそ「評価が分かれる」わけである。

その意味で、安倍晋三という政治家はいくつもの重大な決断をしてきた。アベノミクス、平和安全法制などを巡り、これからも評価は分かれ続けるだろう。

確かなのは、早晩、銅像を造ろうという話が盛り上がること。そして近未来の歴史教科書では、暗殺という最期を含めて安倍晋三という政治家に一定の紙幅が割かれるだろうこと。

江戸時代の老中のように、どのように安倍時代が取り上げられるかは、時代と論者によって変わるだろう。中には「安倍晋三」を英雄として扱う人もいるはずだ。日本が長期衰退を迎える中、最後の希望を模索した人だった、というように。

　だが、ささやかながら「人間」としての晋三さんを知っていた一人として思うのは、英雄になんかならなくていいから、もっとこの世界にいて欲しかったということ。独裁者や暴君というイメージに反して、偉ぶらず、茶目っ気のある人だった。ブラックジョークの面白い人だった。友人や知人を大事にする人だった。そして愛される人だった。

　政治家を引退した後は旅行に行きたいと話していた。昭恵さんに伝えると、「いいわね。でも別々にね」と冗談で返されたという。笑いながらその話を二人から聞いた日が懐かしい。


（2022・7・28）

安倍晋三さんは政治家として多面的な人だったと思う。少人数での会食時のことだ。ある年配の男性がＬＧＢＴに対して差別的な発言をした。それを真っ先に諫《いさ》めたのが晋三さんだった。保守派の人には嫌がられるエピソードかも知れないが、ひっそりと語り継いでいきたい。

おわりに

テレビの情報番組でコメンテーターが一度に話せる時間は、おおよそ1分程度である。僕の場合、早口なので文章にすれば500文字から600文字になる。その1分で話したことに、15文字から20文字の見出しがつけられ、ネットニュースとして（勝手に）配信される。

おおよそ世の中の「コメンテーター」と呼ばれる人々は、その15文字から20文字で評価が下される。難癖をつけるつもりはない。そういう役割なのだから仕方がない。

ネットニュースの切り取りが批判されることもあるが、そもそも情報番組をはじめとしたテレビ自体が切り取りのメディアである。世界的な感染症も、奇怪な殺人事件も、芸能人の不倫も、見やすい長さに編集して視聴者に情報を届けている。

切り取りなしに世の中を把握することはできない。なぜなら世界には、一人の人間ではさばききれないほどの情報が溢れているからだ。

今に始まったことではない。すでに中世ヨーロッパで、人々は知の情報爆発に翻弄されていたという（桑木野幸司『ルネサンス 情報革命の時代』）。

大航海時代がもたらした新発見の数々と、印刷技術の発明によって溢れた書物。当時の人々も、一人で世界中の知を網羅することなど不可能だと悟った。

そこで注目されたのが「切り抜き」や「切り取り」だ。1500年代には、ギリシア・ローマの古典から名言を抜粋、解説したデジデリウス・エラスムス『格言集』や、一万冊以上の本の概要や評価を記したコンラート・ゲスナー『万有書誌』が出版されている。

特に『格言集』は売れに売れた。何度も増補され、16世紀中だけでも132版を数えた。とんでもないベストセラーである。人気の秘密は、誰でも古典に通じているフリができたこと。

笑ってしまうくらい現代の格言集とフォーマットは同じである。まず「酒の中に真実がある（In vino veritas）」「ゆっくり急げ（Festina lente）」といった格言があり、エラスムスによる解説が続く。

最近では、手軽に教養を身につけようとすることを「ファスト教養」といって批判する向きもある。だが少なくとも、「ファスト教養」の歴史は500年以上前までさかのぼることができそうだ。ファスト教養を批判する人は、まずエラスムス批判から始めて欲しいと思う（まさかと思うけれど、エラスムスくらい読んでますよね）。

21世紀を生きる我々は、16世紀以上の情報の海を泳ぐことが求められている。ある試算によれば、2022年に世界で生成されたデータ量は97兆ギガバイトに相当するという。当然ながら、その全てを把握することなどできない。

だが幸いなことに、現代ではルネサンス期に比べて、多様なツールが存在している。もはや現代人にとって「調べる」と同義になった「ネット検索」はもちろん、YouTubeでは森羅万象とも思える事象についての解説動画が見つかる。

世の中には、ネットニュースの見出しのように20文字程度で「もう十分です」という出来事も多い。「指原莉乃、実はニューヨークに行っていた」「若槻千夏、『silent』ロケ地巡り反響」「橋下徹、〝医療脱毛〟を始めたワケ」といった類いのニュースに何時間も向き合う必要はない。

YouTubeの解説動画のように10分程度（倍速視聴なら5分）で済むことも多い。コーヒーの焙煎《ばいせん》法から犬のしつけ、レトロゲームの攻略法まで、生活におけるほとんどの疑問は解決するだろう。

だが、それだけでは物足りないと感じる瞬間があるなら、書物の出番である。本の一つの役割は、複雑で多様な世界を、ある視点によって切り取ることだ。

この『正義の味方が苦手です』には、65の文章が収録されている。世界のZ世代に流行するアプリ、他人の動かし方、暴走する正義や民主主義の寿命、そして元首相の暗殺。言い換えれば、現代世界を65の角度で切り取った本ということになる。

テレビでも自由に発言しているつもりだが、やはり時間の制約がある。橋下徹さんは、どんな話題でもウクライナ情勢や文通費の問題をカットインしてくるが、どうしても僕はそれよりは常識的に振る舞ってしまう。

この2年間、テレビでは言えないことをまとめた本書が、多くの人に読まれたならば嬉しい。

『週刊新潮』の連載では、中瀬ゆかりさん（年下彼氏と破局）、井上保昭さん（ファッショニスタ）、林健一さん（どんどん週刊誌記者らしい風貌に）、宮田優衣さん（念願の文芸の部署へ異動）、浅川秋人さん（大学時代は山岳部）が伴走してくれた。ナカムラさんはいつもシニカルでチャーミングなイラストを寄せてくれた。

新書化にあたっては、後藤裕二さん（誰よりも毒舌）、阿部正孝さん（中瀬ゆかりと混浴経験あり）、西山奈々子さん（東京藝大卒の酒豪）、大古場春菜さん（大学時代は人力車サークル）のお世話になった。

昔、佐藤優さんに年上・同世代・年下の編集者とバランスよく付き合う重要性を教えてもらったことがある。少なくともその意味において、本書は「いい切り取り」ができているのではないかと思う。

イラスト　k.nakamura

初出　『週刊新潮』掲載号は各項末尾に付記しています。

古市憲寿　1985（昭和60）年生まれ。社会学者。慶應義塾大学SFC研究所上席所員。同世代を代表する論客としてメディアでも活躍。著書に『絶望の国の幸福な若者たち』『楽観論』等。

Ⓢ新潮新書

980

正義《せいぎ》の味方《みかた》が苦手《にがて》です

著　者　古市憲寿《ふるいちのりとし》

2023年1月20日　発行

発行者　佐　藤　隆　信

発行所　株式会社 新潮社

〒162-8711　東京都新宿区矢来町71番地
編集部(03)3266-5430　読者係(03)3266-5111
https://www.shinchosha.co.jp

装幀　新潮社装幀室

印刷所　大日本印刷株式会社

製本所　加藤製本株式会社

ISBN978-4-10-610980-5　C0230

価格はカバーに表示してあります。